傳世經典

國學必讀

四書章句

文華叢書

〔戰國〕孟子等 編

廣陵書社

孟子

四書章句

四書章句

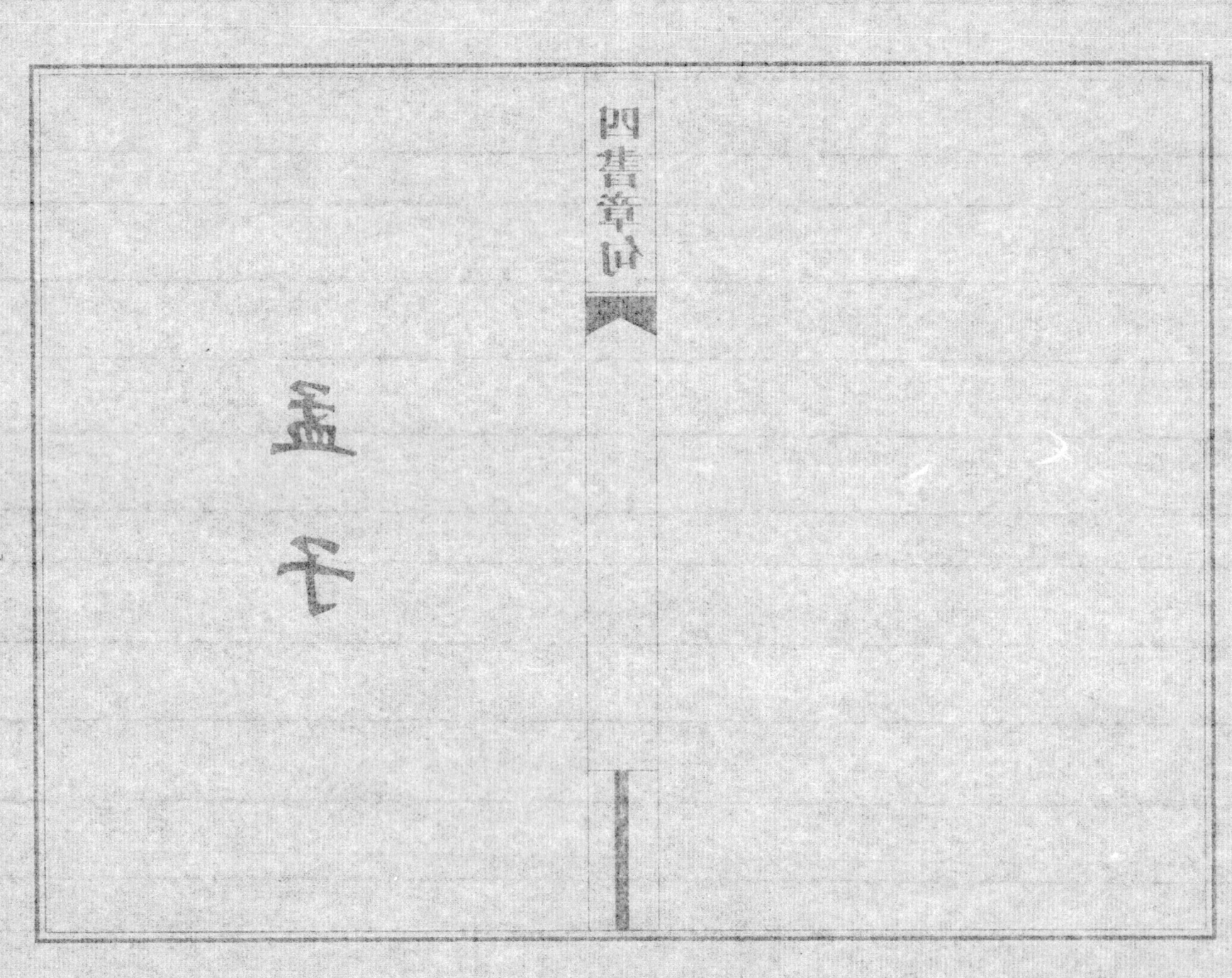

孟子

孟子序説

《史記·列傳》曰：『孟軻，騶人也。受業子思之門人。道既通，游事齊宣王，宣王不能用。適梁，梁惠王不果所言，則見以爲迂遠而闊于事情。當是之時，秦用商鞅，楚、魏用吴起，齊用孫子、田忌。天下方務于合從連衡，以攻伐爲賢。而孟軻乃述唐、虞、三代之德，是以所如者不合。退而與萬章之徒序《詩》、《書》，述仲尼之意，作《孟子》七篇。』

韓子曰：『堯以是傳之舜，舜以是傳之禹，禹以是傳之湯，湯以是傳之文、武、周公，文、武、周公傳之孔子，孔子傳之孟軻。軻之死，不得其傳焉。荀與揚也，擇焉而不精，語焉而不詳。』又曰：『孟氏，醇乎醇者也。荀與揚，大醇而小疵。』又曰：『孔子之道大而能博，門弟子不能遍觀而盡識也，故學焉而皆得其性之所近。其後離散，分處諸侯之國，又各以其所能授弟子，源遠而末益分。惟孟軻師子思，而子思之學出于曾子。自孔子没，獨孟軻氏之傳得其宗。故求觀聖人之道者，必自孟子始。』又曰：『揚子雲曰：「古者楊、墨塞路，孟子辭而辟之，廓如也。」夫楊、墨行，正道廢。孟子雖賢聖，不得位，空言無施，雖切何補？然賴其言，而今之學者尚知宗孔氏，崇仁義，貴王賤霸而已。其大經大法，皆滅亡而不救，壞爛而不收。所謂存十一于千百，安在其能廓如也？然向無孟氏，則皆服左衽而言侏離矣。故愈嘗推尊孟氏，以爲功不在禹下者，爲此也。』

或問于程子曰：『孟子還可謂聖人否？』程子曰：『未敢便道他是聖人，然學已到至處。』程子又曰：『孟子有功于聖門，不可勝言。仲尼只説一個「仁」字，孟子開口便説「仁義」。仲尼只説一個「志」，孟子便説許多「養氣」出來。只此二字，其功甚多。』又曰：『孟子有大功于世，以其言「性善」也。』又曰：『孟子「性善」、「養氣」之論，皆前聖所未發。』又曰：『學者全要識時。若不識時，不足以言學。顔子陋巷自樂，以有孔子在焉。若孟子之時，世既無人，安可不以道自任？』又曰：『孟子有些英氣。纔有英氣，便有圭角。英氣甚害事。如顔子，便渾厚不同。顔子去聖人只毫髮間。孟子大賢，亞聖之次也。』或曰：「英氣見于甚處？」曰：「但以孔子之言比之，便可見。且如冰與水精

非不光，比之玉，自是有温潤含蓄氣象，無許多光耀也。」

楊氏曰：「《孟子》一書，只是要正人心，教人存心養性，收其放心。至論仁、義、禮、智，則以惻隱、羞惡、辭讓、是非之心爲之端。論邪説之害，則曰：「生于其心，害于其政。」論事君，則曰「格君心之非」，「一正君而國定」。千變萬化，只説從心上來。人能正心，則事無足爲者矣。《大學》之修身、齊家、治國、平天下，其本只是正心、誠意而已。心得其正，然後知性之善，故孟子遇人便道「性善」。歐陽永叔却言「聖人之教人，性非所先」，可謂誤矣。人性上不可添一物，堯、舜所以爲萬世法，亦是率性而已。所謂率性，循天理是也。外邊用計用數，假饒立得功業，只是人欲之私。與聖賢作處，天地懸隔。」

卷一　梁惠王章句上

孟子見梁惠王。王曰：『叟！不遠千里而來，亦將有以利吾國乎？』孟子對曰：『王！何必曰利？亦有仁義而已矣。王曰：「何以利吾國？」大夫曰：「何以利吾家？」士庶人曰：「何以利吾身？」上下交征利，而國危矣。萬乘之國，弑其君者，必千乘之家；千乘之國，弑其君者，必百乘之家。萬取千焉，千取百焉，不爲不多矣。苟爲後義而先利，不奪不饜。未有仁而遺其親者也，未有義而後其君者也。王亦曰仁義而已矣，何必曰利？』

孟子見梁惠王。王立于沼上，顧鴻雁麋鹿，曰：『賢者亦樂此乎？』孟子對曰：『賢者而後樂此，不賢者雖有此，不樂也。《詩》云：「經始靈臺，經之營之。庶民攻之，不日成之。經始勿亟，庶民子來。王在靈囿，麀鹿攸伏。麀鹿濯濯，白鳥鶴鶴。王在靈沼，于牣魚躍。」文王以民力爲臺爲沼，而民歡樂之，謂其臺曰靈臺，謂其沼曰靈沼，樂其有麋鹿魚鱉。古之人與民偕樂，故能樂也。《湯誓》曰：「時日害喪？予及女皆亡！」民欲與之偕亡，雖有臺池鳥獸，豈能獨樂哉？』

梁惠王曰：『寡人之于國也，盡心焉耳矣。河内凶，則移其民于河東，移其粟于河内。河東凶亦然。察鄰國之政，無如寡人之用心者。鄰國之民不加少，寡人之民不加多，何也？』孟子對曰：『王好戰，請以戰喻。填然鼓之，兵刃既接，弃甲曳兵而走，或百步而後止，或五十步而後止。以五十步笑百步，則何如？』曰：『不可。直不百步耳，是亦走也。』曰：『王如知此，則無望民之多于鄰國也。不違農時，穀不可勝食也；數罟不入洿池，魚鱉不可勝食也；斧斤以時入山林，材木不可勝用也。穀與魚鱉不可勝食，材木不可勝用，是使民養生喪死無憾也。養生喪死無憾，王道之始也。五畝之宅，樹之以桑，五十者可以衣帛矣。鷄豚狗彘之畜，無失其時，七十者可以食肉矣。百畝之田，勿奪其時，數口之家可以無飢矣。謹庠序之教，申之以孝悌之義，頒白者不負戴于道路矣。七十者衣帛食肉，黎民不飢不寒，然而不王者，未之有也。狗彘食人食而不知檢，塗有餓莩而不

知發；人死，則曰：「非我也，歲也。」是何异于刺人而殺之，曰：「非我也，兵也。」王無罪歲，斯天下之民至焉。」

梁惠王曰：『寡人願安承教。』孟子對曰：『殺人以梃與刃，有以异乎？』曰：『無以异也。』『以刃與政，有以异乎？』曰：『無以异也。』曰：『庖有肥肉，厩有肥馬，民有飢色，野有餓莩，此率獸而食人也。獸相食，且人惡之，爲民父母行政，不免于率獸而食人，惡在其爲民父母也？仲尼曰：「始作俑者，其無後乎！」爲其象人而用之也。如之何其使斯民飢而死也？』

梁惠王曰：『晋國，天下莫强焉，叟之所知也。及寡人之身，東敗于齊，長子死焉；西喪地于秦七百里；南辱于楚。寡人耻之，願比死者一洒之，如之何則可？』孟子對曰：『地方百里而可以王。王如施仁政于民，省刑罰，薄税斂，深耕易耨，壯者以暇日修其孝悌忠信，入以事其父兄，出以事其長上，可使制梃以撻秦、楚之堅甲利兵矣。彼奪其民時，使不得耕耨以養其父母。父母凍餓，兄弟妻子離散。彼陷溺其民，王往而征之，夫誰與王敵？故曰：「仁者無敵。」王請勿疑！』

孟子見梁襄王，出，語人曰：『望之不似人君，就之而不見所畏焉。卒然問曰：「天下惡乎定？」吾對曰：「定于一。」「孰能一之？」對曰：「不嗜殺人者能之一。」「孰能與之？」對曰：「天下莫不與也。王知夫苗乎？七、八月之間旱，則苗槁矣。天油然作雲，沛然下雨，則苗浡然興之矣。其如是，孰能禦之？今夫天下之人牧，未有不嗜殺人者也。如有不嗜殺人者，則天下之民皆引領而望之矣。誠如是也，民歸之，由水之就下，沛然誰能禦之？」』

齊宣王問曰：『齊桓、晋文之事，可得聞乎？』孟子對曰：『仲尼之徒無道桓文之事者，是以後世無傳焉，臣未之聞也。無以，則王乎？』曰：『德何如，則可以王矣？』曰：『保民而王，莫之能禦也。』曰：『若寡人者，可以保民乎哉？』曰：『可。』曰：『何由知吾可也？』曰：『臣聞之胡齕曰：王坐于堂上，有牽牛而過堂下者，王見之，曰：「牛何之？」對曰：「將以釁鐘。」王曰：「舍之！吾不忍其觳觫，若無罪而就死地。」對曰：「然則

廢釁鐘與？」曰：「何可廢也？以羊易之！」不識有諸？」曰：「有之。」曰：「是心足以王矣。百姓皆以王爲愛也，臣固知王之不忍也。」王曰：「然。誠有百姓者。齊國雖褊小，吾何愛一牛？即不忍其觳觫，若無罪而就死地，故以羊易之也。」曰：「王無异于百姓之以王爲愛也，以小易大，彼惡知之？王若隱其無罪而就死地，則牛羊何擇焉？」王笑曰：「是誠何心哉？我非愛其財而易之以羊也。宜乎百姓之謂我愛也。」曰：「無傷也。是乃仁術也，見牛未見羊也。君子之于禽獸也，見其生，不忍見其死；聞其聲，不忍食其肉。是以君子遠庖厨也。」王說，曰：「《詩》云：『他人有心，予忖度之。』夫子之謂也。夫我乃行之，反而求之，不得吾心。夫子言之，于我心有戚戚焉。此心之所以合于王者，何也？」曰：「有復于王者曰：『吾力足以舉百鈞，而不足以舉一羽；明足以察秋毫之末，而不見輿薪。』則王許之乎？」曰：「否。」「今恩足以及禽獸，而功不至于百姓者，獨何與？然則一羽之不舉，爲不用力焉；輿薪之不見，爲不用明焉；百姓之不見保，爲不用恩焉。故王之不王，不爲也，非不能也。」曰：「不爲者與不能者之形何以异？」曰：「挾太山以超北海，語人曰：『我不能。』是誠不能也。爲長者折枝，語人曰：『我不能。』是不爲也，非不能也。故王之不王，非挾太山以超北海之類也；王之不王，是折枝之類也。老吾老，以及人之老；幼吾幼，以及人之幼。天下可運于掌。《詩》云：『刑于寡妻，至于兄弟，以御于家邦。』言舉斯心加諸彼而已。故推恩足以保四海，不推恩無以保妻子。古之人所以大過人者，無他焉，善推其所爲而已矣。今恩足以及禽獸，而功不至于百姓者，獨何與？權，然後知輕重；度，然後知長短。物皆然，心爲甚。王請度之！抑王興甲兵，危士臣，構怨于諸侯，然後快于心與？」王曰：「否。吾何快于是？將以求吾所大欲也。」曰：「王之所大欲，可得聞與？」王笑而不言。曰：「爲肥甘不足于口與？輕暖不足于體與？抑爲采色不足視于目與？聲音不足聽于耳與？便嬖不足使令于前與？王之諸臣皆足以供之，而王豈爲是哉？」曰：「否。吾不爲是也。」曰：「然則王之所大欲可知已。欲辟土地，朝秦、楚，莅中國而撫四夷也。以若所爲求若所欲，猶緣木而求魚也。」王曰：「若是其甚與？」曰：「殆有甚焉。緣木求魚，

雖不得魚，無後災。以若所爲求若所欲，盡心力而爲之，後必有災。』曰：『可得聞與？』曰：『鄒人與楚人戰，則王以爲孰勝？』曰：『楚人勝。』曰：『然則小固不可以敵大，寡固不可以敵衆，弱固不可以敵强。海内之地，方千里者九，齊集有其一。以一服八，何以异于鄒敵楚哉？蓋亦反其本矣。今王發政施仁，使天下仕者皆欲立于王之朝，耕者皆欲耕于王之野，商賈皆欲藏于王之市，行旅皆欲出于王之塗，天下之欲疾其君者皆欲赴訴于王。其若是，孰能禦之？』王曰：『吾惛，不能進于是矣。願夫子輔吾志，明以教我。我雖不敏，請嘗試之。』曰：『無恒産而有恒心者，惟士爲能。若民則無恒産，因無恒心。苟無恒心，放辟邪侈，無不爲已。及陷于罪，然後從而刑之，是罔民也。焉有仁人在位罔民而可爲也？是故明君制民之産，必使仰足以事父母，俯足以畜妻子，樂歲終身飽，凶年免于死亡。然後驅而之善，故民之從之也輕。今也制民之産，仰不足以事父母，俯不足以畜妻子；樂歲終身苦，凶年不免于死亡。此惟救死而恐不贍，奚暇治禮義哉？王欲行之，則盍反其本矣：五畝之宅，樹之以桑，五十者可以衣帛矣。鷄豚狗彘之畜，無失其時，七十者可以食肉矣。百畝之田，勿奪其時，八口之家可以無飢矣。謹庠序之教，申之以孝悌之義，頒白者不負戴于道路矣。老者衣帛食肉，黎民不飢不寒，然而不王者，未之有也。』

卷二　梁惠王章句下

莊暴見孟子，曰：『暴見于王，王語暴以好樂，暴未有以對也。』曰：『好樂何如？』孟子曰：『王之好樂甚，則齊國其庶幾乎！』他日，見于王，曰：『王嘗語莊子以好樂，有諸？』王變乎色，曰：『寡人非能好先王之樂也，直好世俗之樂耳。』曰：『王之好樂甚，則齊其庶幾乎！今之樂猶古之樂也。』曰：『可得聞與？』曰：『獨樂樂，與人樂樂，孰樂？』曰：『不若與人。』曰：『與少樂樂，與衆樂樂，孰樂？』曰：『不若與衆。』『臣請爲王言樂。今王鼓樂于此，百姓聞王鐘鼓之聲，管籥之音，舉疾首蹙頞而相告曰：「吾王之好鼓樂，夫何使我至于此極也？父子不相見，兄弟妻子離散。」今王田獵于此，百姓聞王車馬之音，見羽旄之美，舉疾首蹙頞而相告曰：「吾王之好田獵，夫何使我至于此極也？父子不相見，兄弟妻子離散。」此無他，不與民同樂也。今王鼓樂于此，百姓聞王鐘鼓之聲，管籥之音，舉欣欣然有喜色而相告曰：「吾王庶幾無疾病與？何以能鼓樂也？」今王田獵于此，百姓聞王車馬之音，見羽旄之美，舉欣欣然有喜色而相告曰：「吾王庶幾無疾病與？何以能田獵也？」此無他，與民同樂也。今王與百姓同樂，則王矣。』

齊宣王問曰：『文王之囿方七十里，有諸？』孟子對曰：『于傳有之。』曰：『若是其大乎？』曰：『民猶以爲小也。』曰：『寡人之囿方四十里，民猶以爲大，何也？』曰：『文王之囿方七十里，芻蕘者往焉，雉兔者往焉，與民同之。民以爲小，不亦宜乎？臣始至于境，問國之大禁，然後敢入。臣聞郊關之內，有囿方四十里，殺其麋鹿者如殺人之罪，則是方四十里爲阱于國中。民以爲大，不亦宜乎？』

齊宣王問曰：『交鄰國有道乎？』孟子對曰：『有。惟仁者爲能以大事小，是故湯事葛，文王事昆夷。惟智者爲能以小事大，故大王事獯鬻，勾踐事吳。以大事小者，樂天者也；以小事大者，畏天者也。樂天者保天下，畏天者保其國。《詩》云：「畏天之威，于時保之。」』王曰：『大哉言矣！寡人有疾，寡人好勇。』對曰：『王請無好小勇。夫

撫劍疾視，曰：「彼惡敢當我哉！」此匹夫之勇，敵一人者也。王請大之！《詩》云：「王赫斯怒，爰整其旅。以遏徂莒，以篤周祜，以對于天下。」此文王之勇也。文王一怒而安天下之民。《書》曰：「天降下民，作之君，作之師。惟曰其助上帝，寵之四方。有罪無罪，惟我在。天下曷敢有越厥志？」一人衡行于天下，武王恥之。此武王之勇也。而武王亦一怒而安天下之民。今王亦一怒而安天下之民，民惟恐王之不好勇也。」

齊宣王見孟子于雪宮。王曰：「賢者亦有此樂乎？」孟子對曰：「有。人不得，則非其上矣。不得而非其上者，非也；爲民上而不與民同樂者，亦非也。樂民之樂者，民亦樂其樂；憂民之憂者，民亦憂其憂。樂以天下，憂以天下，然而不王者，未之有也。昔者齊景公問于晏子曰：『吾欲觀于轉附、朝儛，遵海而南，放于琅邪，吾何修而可以比于先王觀也？』晏子對曰：『善哉問也！天子適諸侯曰巡狩。巡狩者，巡所守也。諸侯朝于天子曰述職。述職者，述所職也。無非事者，春省耕而補不足，秋省斂而助不給。夏諺曰：「吾王不遊，吾何以休？吾王不豫，吾何以助？一遊一豫，爲諸侯度。」今也不然，師行

而糧食，飢者弗食，勞者弗息。睊睊胥讒，民乃作慝。方命虐民，飲食若流，流連荒亡，爲諸侯憂。從流下而忘反，謂之流；從流上而忘反，謂之連；從獸無厭謂之荒，樂酒無厭謂之亡。先王無流連之樂，荒亡之行。惟君所行也。』景公説，大戒于國，出舍于郊。于是始興發補不足。召太師曰：『爲我作君臣相説之樂。』蓋《徵招》、《角招》是也。其詩曰：「畜君何尤？」畜君者，好君也。」

齊宣王問曰：「人皆謂我毀明堂，毀諸？已乎？」孟子對曰：「夫明堂者，王者之堂也。王欲行王政，則勿毀之矣。」王曰：「王政可得聞與？」對曰：「昔者文王之治岐也，耕者九一，仕者世禄，關市譏而不征，澤梁無禁，罪人不孥。老而無妻曰鰥，老而無夫曰寡，老而無子曰獨，幼而無父曰孤。此四者，天下之窮民而無告者。文王發政施仁，必先斯四者。《詩》云：『哿矣富人，哀此煢獨！』」王曰：「善哉言乎！」曰：「王如善之，則何爲不行？」王曰：「寡人有疾，寡人好貨。」對曰：「昔者公劉好貨，《詩》云：『乃積乃倉，乃裹餱糧，于橐于囊。思戢用光。弓矢斯張，干戈戚揚，爰方啓行』。故居者有積

倉，行者有裹囊也，然後可以爰方啓行。王如好貨，與百姓同之，于王何有？』王曰：『寡人有疾，寡人好色。』對曰：『昔者大王好色，愛厥妃。《詩》云：「古公亶父，來朝走馬。率西水滸，至于岐下。爰及姜女，聿來胥宇。」當是時也，内無怨女，外無曠夫。王如好色，與百姓同之，于王何有？』

孟子謂齊宣王曰：『王之臣有托其妻子于其友而之楚遊者，比其反也，則凍餒其妻子，則如之何？』王曰：『弃之。』曰：『士師不能治士，則如之何？』王曰：『已之。』曰：『四境之内不治，則如之何？』王顧左右而言他。

孟子見齊宣王，曰：『所謂故國者，非謂有喬木之謂也，有世臣之謂也。王無親臣矣，昔者所進，今日不知其亡也。』王曰：『吾何以識其不才而舍之？』曰：『國君進賢，如不得已，將使卑逾尊，疏逾戚，可不慎與？左右皆曰賢，未可也；諸大夫皆曰賢，未可也；國人皆曰賢，然後察之；見賢焉，然後用之。左右皆曰不可，勿聽；諸大夫皆曰不可，勿聽；國人皆曰不可，然後察之？見不可焉，然後去之。左右皆曰可殺，勿聽；諸大夫皆曰可殺，勿聽；國人皆曰可殺，然後察之；見可殺焉，然後殺之。故曰國人殺之也。如此，然後可以爲民父母。』

齊宣王問曰：『湯放桀，武王伐紂，有諸？』孟子對曰：『于傳有之。』曰：『臣弑其君，可乎？』曰：『賊仁者謂之賊，賊義者謂之殘。殘賊之人，謂之一夫。聞誅一夫紂矣，未聞弑君也。』

孟子謂齊宣王，曰：『爲巨室，則必使工師求大木。工師得大木，則王喜，以爲能勝其任也。匠人斫而小之，則王怒，以爲不勝其任矣。夫人幼而學之，壯而欲行之，王曰「姑舍女所學而從我」，則何如？今有璞玉于此，雖萬鎰，必使玉人雕琢之。至于治國家，則曰「姑舍女所學而從我」，則何以异于教玉人雕琢玉哉？』

齊人伐燕，勝之。宣王問曰：『或謂寡人勿取，或謂寡人取之。以萬乘之國伐萬乘之國，五旬而舉之，人力不至于此。不取必有天殃，取之何如？』孟子對曰：『取之而燕民悦，則取之。古之人有行之者，武王是也。取之而燕民不悦，則勿取。古之人有行之者，

文王是也。以萬乘之國伐萬乘之國，簞食壺漿以迎王師，豈有他哉？避水火也。如水益深，如火益熱，亦運而已矣。』

齊人伐燕，取之。諸侯將謀救燕。宣王曰：『諸侯多謀伐寡人者，何以待之？』孟子對曰：『臣聞七十里爲政于天下者，湯是也。未聞以千里畏人者也。《書》曰：「湯一征，自葛始。」天下信之。東面而征，西夷怨；南面而征，北狄怨，曰：「奚爲後我？」民望之，若大旱之望雲霓也。歸市者不止，耕者不變，誅其君而吊其民，若時雨降。民大悅。《書》曰：「徯我后，后來其蘇！」今燕虐其民，王往而征之，民以爲將拯己于水火之中也，簞食壺漿以迎王師。若殺其父兄，係累其子弟，毀其宗廟，遷其重器，如之何其可也？天下固畏齊之强也，今又倍地而不行仁政，是動天下之兵也。王速出令，反其旄倪，止其重器，謀于燕衆，置君而後去之，則猶可及止也。』

鄒與魯鬨。穆公問曰：『吾有司死者三十三人，而民莫之死也。誅之，則不可勝誅；不誅，則疾視其長上之死而不救，如之何則可也？』孟子對曰：『凶年饑歲，君之民老弱轉乎溝壑，壯者散而之四方者，幾千人矣；而君之倉廩實，府庫充，有司莫以告，是上慢而殘下也。曾子曰：「戒之，戒之！出乎爾者，反乎爾者也。」夫民今而後得反之也，君無尤焉！君行仁政，斯民親其上，死其長矣。』

滕文公問曰：『滕，小國也，間于齊、楚。事齊乎？事楚乎？』孟子對曰：『是謀非吾所能及也。無已，則有一焉：鑿斯池也，築斯城也，與民守之，效死而民弗去，則是可爲也。』

滕文公問曰：『齊人將築薛，吾甚恐，如之何則可？』孟子對曰：『昔者大王居邠，狄人侵之，去之岐山之下居焉。非擇而取之，不得已也。苟爲善，後世子孫必有王者矣。君子創業垂統，爲可繼也。若夫成功，則天也。君如彼何哉？强爲善而已矣。』

滕文公問曰：『滕，小國也。竭力以事大國，則不得免焉，如之何則可？』孟子對曰：『昔者大王居邠，狄人侵之。事之以皮幣，不得免焉；事之以犬馬，不得免焉；事之以珠玉，不得免焉。乃屬其耆老而告之曰：「狄人之所欲者，吾土地也。吾聞之也：君子不

以其所以養人者害人。二三子何患乎無君，我將去之。」去邠，逾梁山，邑于岐山之下居焉。邠人曰：「仁人也，不可失也。」從之者如歸市。或曰：「世守也，非身之所能爲也，效死勿去。」君請擇于斯二者。」

魯平公將出，嬖人臧倉者請曰：『他日君出，則必命有司所之。今乘輿已駕矣，有司未知所之，敢請。』公曰：『將見孟子。』曰：『何哉，君所爲輕身以先于匹夫者？以爲賢乎？禮義由賢者出，而孟子之後喪逾前喪。君無見焉！』公曰：『諾。』樂正子入見，曰：『君奚爲不見孟軻也？』曰：『或告寡人曰：「孟子之後喪逾前喪。」是以不往見也。』曰：『何哉，君所謂逾者？前以士，後以大夫；前以三鼎，而後以五鼎與？』曰：『否。謂棺椁衣衾之美也。』曰：『非所謂逾也，貧富不同也。』樂正子見孟子，曰：『克告于君，君爲來見也。嬖人有臧倉者沮君，君是以不果來也。』曰：『行或使之，止或尼之。行止，非人所能也。吾之不遇魯侯，天也。臧氏之子焉能使予不遇哉？』

卷三　公孫丑章句上

公孫丑問曰：『夫子當路于齊，管仲、晏子之功，可復許乎？』孟子曰：『子誠齊人也，知管仲、晏子而已矣。或問乎曾西曰：「吾子與子路孰賢？」曾西蹴然曰：「吾先子之所畏也。」曰：「然則吾子與管仲孰賢？」曾西艴然不悦，曰：「爾何曾比予于管仲？管仲得君如彼其專也，行乎國政如彼其久也，功烈如彼其卑也，爾何曾比予于是？」』曰：『管仲，曾西之所不爲也，而子爲我願之乎？』曰：『管仲以其君霸，晏子以其君顯。管仲、晏子猶不足爲與？』曰：『以齊王，由反手也。』曰：『若是，則弟子之惑滋甚。且以文王之德，百年而後崩，猶未洽于天下；武王、周公繼之，然後大行。今言王若易然，則文王不足法與？』曰：『文王何可當也？由湯至于武丁，賢聖之君六七作。天下歸殷久矣，久則難變也。武丁朝諸侯，有天下，猶運之掌也。紂之去武丁未久也，其故家遺俗，流風善政，猶有存者；又有微子、微仲、王子比干、箕子、膠鬲，皆賢人也，相與輔相之，故久而後失之也。尺地莫非其有也，一民莫非其臣也，然而文王猶方百里起，是以難也。齊人有言曰：「雖有智慧，不如乘勢；雖有鎡基，不如待時。」今時則易然也。夏后、殷、周之盛，地未有過千里者也，而齊有其地矣；鷄鳴狗吠相聞，而達乎四境，而齊有其民矣。地不改辟矣，民不改聚矣，行仁政而王，莫之能禦也。且王者之不作，未有疏于此時者也；民之憔悴于虐政，未有甚于此時者也。飢者易爲食，渴者易爲飲。孔子曰：「德之流行，速于置郵而傳命。」當今之時，萬乘之國行仁政，民之悦之，猶解倒懸也。故事半古之人，功必倍之，惟此時爲然。』

公孫丑問曰：『夫子加齊之卿相，得行道焉，雖由此霸王，不异矣。如此，則動心否乎？』孟子曰：『否。我四十不動心。』曰：『若是，則夫子過孟賁遠矣。』曰：『是不難。告子先我不動心。』曰：『不動心，有道乎？』曰：『有。北宮黝之養勇也，不膚撓，不目逃，思以一豪挫于人，若撻之于市朝。不受于褐寬博，亦不受于萬乘之君。視刺萬乘之君，若刺褐夫。無嚴諸侯。惡聲至，必反之。孟施舍之所養勇也，曰：「視不勝猶勝

也。量敵而後進，慮勝而後會，是畏三軍者也。舍豈能爲必勝哉？能無懼而已矣。」孟施舍似曾子，北宮黝似子夏。夫二子之勇，未知其孰賢，然而孟施舍守約也。昔者曾子謂子襄曰：「子好勇乎？吾嘗聞大勇于夫子矣：自反而不縮，雖褐寬博，吾不惴焉；自反而縮，雖千萬人，吾往矣。」孟施舍之守氣，又不如曾子之守約也。』曰：『敢問夫子之不動心與告子之不動心，可得聞與？』『告子曰：「不得于言，勿求于心；不得于心，勿求于氣。」不得于心，勿求于氣，可；不得于言，勿求于心，不可。夫志，氣之帥也；氣，體之充也。夫志，至焉；氣，次焉。故曰：「持其志，無暴其氣。」』『既曰「志，至焉；氣，次焉」，又曰「持其志，無暴其氣」者，何也？』曰：『志壹則動氣，氣壹則動志也。今夫蹶者趨者，是氣也，而反動其心。』『敢問夫子惡乎長？』曰：『我知言，我善養吾浩然之氣。』『敢問何謂浩然之氣？』曰：『難言也。其爲氣也，至大至剛，以直養而無害，則塞于天地之間。其爲氣也，配義與道；無是，餒也。是集義所生者，非義襲而取之也。行有不慊于心，則餒矣。我故曰告子未嘗知義，以其外之也。必有事焉而勿正，心勿忘，勿助長也。無若宋人然：宋人有閔其苗之不長而揠之者，芒芒然歸，謂其人曰：「今日病矣！予助苗長矣！」其子趨而往視之，苗則槁矣。天下之不助苗長者寡矣。以爲無益而舍之者，不耘苗者也；助之長者，揠苗者也，非徒無益，而又害之。』『何謂知言？』曰：『詖辭知其所蔽，淫辭知其所陷，邪辭知其所離，遁辭知其所窮。生于其心，害于其政；發于其政，害于其事。聖人復起，必從吾言矣。』『宰我、子貢善爲說辭，冉牛、閔子、顏淵善言德行。孔子兼之，曰：「我于辭命，則不能也。」然則夫子既聖矣乎？』曰：『惡！是何言也！昔者子貢問于孔子，曰：「夫子聖矣乎？」孔子曰：「聖則吾不能，我學不厭而教不倦也。」子貢曰：「學不厭，智也；教不倦，仁也。仁且智，夫子既聖矣。」夫聖，孔子不居！是何言也？』『昔者竊聞之：子夏、子游、子張皆有聖人之一體，冉牛、閔子、顏淵則具體而微。敢問所安？』曰：『姑舍是。』曰：『伯夷、伊尹何如？』曰：『不同道。非其君不事，非其民不使；治則進，亂則退：伯夷也。何事非君，何使非民；治亦進，亂亦進：伊尹也。可以仕則仕，可以止則止，可以久則久，可以速則速：

孔子也。皆古聖人也。吾未能有行焉，乃所願，則學孔子也。』『伯夷、伊尹于孔子，若是班乎？』曰：『否。自有生民以來，未有孔子也。』曰：『然則有同與？』曰：『有。得百里之地而君之，皆能以朝諸侯，有天下。行一不義，殺一不辜而得天下，皆不爲也。是則同。』曰：『敢問其所以异？』曰：『宰我、子貢、有若，智足以知聖人，污不至阿其所好。宰我曰：「以予觀于夫子，賢于堯、舜遠矣。」子貢曰：「見其禮而知其政，聞其樂而知其德，由百世之後，等百世之王，莫之能違也。自生民以來，未有夫子也。」有若曰：「豈惟民哉！麒麟之于走獸，鳳凰之于飛鳥，泰山之于丘垤，河海之于行潦，類也。聖人之于民，亦類也。出于其類，拔乎其萃。自生民以來，未有盛于孔子也。」』

孟子曰：『以力假仁者霸，霸必有大國；以德行仁者王，王不待大，湯以七十里，文王以百里。以力服人者，非心服也，力不贍也；以德服人者，中心悦而誠服也，如七十子之服孔子也。《詩》云：「自西自東，自南自北，無思不服。」此之謂也。』

孟子曰：『仁則榮，不仁則辱。今惡辱而居不仁，是猶惡濕而居下也。如惡之，莫如

貴德而尊士，賢者在位，能者在職。國家閑暇，及是時，明其政刑。雖大國，必畏之矣。《詩》云：「迨天之未陰雨，徹彼桑土，綢繆牖戶。今此下民，或敢侮予？」孔子曰：「爲此詩者，其知道乎？能治其國家，誰敢侮予？」今國家閑暇，及是時，般樂怠敖，是自求禍也。禍福無不自己求之者。《詩》云：「永言配命，自求多福。」《太甲》曰：「天作孽，猶可違；自作孽，不可活。」此之謂也。』

孟子曰：『尊賢使能，俊杰在位，則天下之士皆悦，而願立于其朝矣；市，廛而不征，法而不廛，則天下之商皆悦，而願藏于其市矣；關，譏而不征，則天下之旅皆悦，而願出于其路矣；耕者，助而不税，則天下之農皆悦，而願耕于其野矣；廛，無夫里之布，則天下之民皆悦，而願爲之氓矣。信能行此五者，則鄰國之民仰之若父母矣。率其子弟，攻其父母，自有生民以來未有能濟者也。如此，則無敵于天下。無敵于天下者，天吏也。然而不王者，未之有也。』

孟子曰：『人皆有不忍人之心。先王有不忍人之心，斯有不忍人之政矣。以不忍人

之心，行不忍人之政，治天下可運之掌上。所以謂「人皆有不忍人之心」者，今人乍見孺子將入于井，皆有怵惕惻隱之心，非所以內交于孺子之父母也，非所以要譽于鄉黨朋友也，非惡其聲而然也。由是觀之，無惻隱之心，非人也；無羞惡之心，非人也；無辭讓之心，非人也；無是非之心，非人也。惻隱之心，仁之端也；羞惡之心，義之端也；辭讓之心，禮之端也；是非之心，智之端也。人之有是四端也，猶其有四體也。有是四端而自謂不能者，自賊者也；謂其君不能者，賊其君者也。凡有四端于我者，知皆擴而充之矣，若火之始然，泉之始達。苟能充之，足以保四海；苟不充之，不足以事父母。』

孟子曰：『矢人豈不仁于函人哉？矢人唯恐不傷人，函人唯恐傷人。巫匠亦然。故術不可不慎也。孔子曰：「里仁爲美。擇不處仁，焉得智？」夫仁，天之尊爵也，人之安宅也。莫之禦而不仁，是不智也。不仁不智，無禮無義，人役也。人役而耻爲役，由弓人而耻爲弓，矢人而耻爲矢也。如耻之，莫如爲仁。仁者如射，射者正己而後發，發而不中，不怨勝己者，反求諸己而已矣。』

孟子曰：『子路，人告之以有過，則喜。禹聞善言，則拜。大舜有大焉，善與人同，舍己從人，樂取于人以爲善。自耕稼、陶、漁以至爲帝，無非取于人者。取諸人以爲善，是與人爲善者也。故君子莫大乎與人爲善。』

孟子曰：『伯夷，非其君不事，非其友不友。不立于惡人之朝，不與惡人言；立于惡人之朝，與惡人言，如以朝衣朝冠坐于塗炭。推惡惡之心，思與鄉人立，其冠不正，望望然去之，若將浼焉。是故諸侯雖有善其辭命而至者，不受也。不受也者，是亦不屑就已。柳下惠不羞污君，不卑小官；進不隱賢，必以其道；遺佚而不怨，厄窮而不憫。故曰：「爾爲爾，我爲我，雖袒裼裸裎于我側，爾焉能浼我哉？」故由由然與之偕而不自失焉，援而止之而止。援而止之而止者，是亦不屑去已。』孟子曰：『伯夷隘，柳下惠不恭。隘與不恭，君子不由也。』

孟子曰：『天時不如地利，地利不如人和。三里之城，七里之郭，環而攻之而不勝。夫環而攻之，必有得天時者矣；然而不勝者，是天時不如地利也。城非不高也，池非不深也，兵革非不堅利也，米粟非不多也；委而去之，是地利不如人和也。故曰：域民不以封疆之界，固國不以山溪之險，威天下不以兵革之利。得道者多助，失道者寡助。寡助之至，親戚畔之；多助之至，天下順之。以天下之所順，攻親戚之所畔；故君子有不戰，戰必勝矣。』

孟子將朝王，王使人來曰：『寡人如就見者也，有寒疾，不可以風。朝，將視朝，不識可使寡人得見乎？』對曰：『不幸而有疾，不能造朝。』明日，出吊于東郭氏。公孫丑曰：『昔者辭以病，今日吊，或者不可乎？』曰：『昔者疾，今日愈，如之何不吊？』王使人問疾，醫來，孟仲子對曰：『昔者有王命，有采薪之憂，不能造朝。今病小愈，趨造于朝，我不

識能至否乎？』使數人要于路，曰：『請必無歸而造于朝！』不得已而之景丑氏宿焉。景子曰：『內則父子，外則君臣，人之大倫也。父子主恩，君臣主敬。丑見王之敬子也，未見所以敬王也。』曰：『惡！是何言也！齊人無以仁義與王言者，豈以仁義爲不美也？其心曰「是何足與言仁義也」云爾，則不敬莫大乎是。我非堯、舜之道，不敢以陳于王前，故齊人莫如我敬王也。』景子曰：『否，非此之謂也。《禮》曰：「父召，無諾；君命召，不俟駕。」固將朝也，聞王命而遂不果，宜與夫禮若不相似然。』曰：『豈謂是與？曾子曰：「晋、楚之富，不可及也。彼以其富，我以吾仁；彼以其爵，我以吾義。吾何慊乎哉？」夫豈不義而曾子言之？是或一道也。天下有達尊三：爵一，齒一，德一。朝廷莫如爵，鄉黨莫如齒，輔世長民莫如德。惡得有其一以慢其二哉？故將大有爲之君，必有所不召之臣；欲有謀焉，則就之。其尊德樂道，不如是不足與有爲也。故湯之于伊尹，學焉而後臣之，故不勞而王；桓公之于管仲，學焉而後臣之，故不勞而霸。今天下地醜德齊，莫能相尚，無他，好臣其所教，而不好臣其所受教。湯之于伊尹，桓公之于管仲，則不敢召。管仲

且猶不可召，而况不爲管仲者乎？」

陳臻問曰：「前日于齊，王餽兼金一百而不受；于宋，餽七十鎰而受；于薛，餽五十鎰而受。前日之不受是，則今日之受非也；今日之受是，則前日之不受非也。夫子必居一于此矣。」孟子曰：「皆是也。當在宋也，予將有遠行，行者必以贐；辭曰「餽贐」，予何爲不受？當在薛也，予有戒心，辭曰：「聞戒，故爲兵餽之。」予何爲不受？若于齊，則未有處也。無處而餽之，是貨之也。焉有君子而可以貨取乎？」

孟子之平陸，謂其大夫曰：「子之持戟之士，一日而三失伍，則去之否乎？」曰：「不待三。」「然則子之失伍也亦多矣。凶年饑歲，子之民，老羸轉于溝壑，壯者散而之四方者，幾千人矣。」曰：「此非距心之所得爲也。」曰：「今有受人之牛羊而爲之牧之者，則必爲之求牧與芻矣。求牧與芻而不得，則反諸其人乎？抑亦立而視其死與？」曰：「此則距心之罪也。」他日，見于王曰：「王之爲都者，臣知五人焉。知其罪者，惟孔距心。」爲王誦之。王曰：「此則寡人之罪也。」

孟子謂蚳鼃曰：「子之辭靈丘而請士師，似也，爲其可以言也。今既數月矣，未可以言與？」蚳鼃諫于王而不用，致爲臣而去。齊人曰：「所以爲蚳鼃則善矣，所以自爲，則吾不知也。」公都子以告。曰：「吾聞之也：有官守者，不得其職則去；有言責者，不得其言則去。我無官守，我無言責也，則吾進退，豈不綽綽然有餘裕哉？」

孟子爲卿于齊，出吊于滕，王使蓋大夫王驩爲輔行。王驩朝暮見，反齊、滕之路，未嘗與之言行事也。公孫丑曰：「齊卿之位，不爲小矣。齊、滕之路，不爲近矣。反之而未嘗與言行事，何也？」曰：「夫既或治之，予何言哉？」

孟子自齊葬于魯，反于齊，止于嬴。充虞請曰：「前日不知虞之不肖，使虞敦匠事。嚴，虞不敢請。今願竊有請也：木若以美然。」曰：「古者棺椁無度，中古棺七寸，椁稱之。自天子達于庶人，非直爲觀美也，然後盡于人心。不得，不可以爲悅；無財，不可以爲悅。得之爲有財，古之人皆用之，吾何爲獨不然？且比化者無使土親膚，于人心獨無恔乎？吾聞之也：君子不以天下儉其親。」

沈同以其私問曰：『燕可伐與？』孟子曰：『可。子噲不得與人燕，子之不得受燕于子噲。有仕于此，而子悦之，不告于王而私與之吾子之祿爵。夫士也，亦無王命而私受之于子，則可乎？何以异于是？』齊人伐燕。或問曰：『勸齊伐燕，有諸？』曰：『未也。沈同問「燕可伐與？」，吾應之曰：「可。」彼然而伐之也。彼如曰：「孰可以伐之？」則將應之曰：「爲天吏，則可以伐之。」今有殺人者，或問之曰：「人可殺與？」則將應之曰：「可。」彼如曰：「孰可以殺之？」則將應之曰：「爲士師，則可以殺之。」今以燕伐燕，何爲勸之哉？』

燕人畔。王曰：『吾甚慚于孟子。』陳賈曰：『王無患焉。王自以爲與周公孰仁且智？』王曰：『惡！是何言也！』曰：『周公使管叔監殷，管叔以殷畔。知而使之，是不仁也；不知而使之，是不智也。仁智，周公未之盡也，而况于王乎？賈請見而解之。』見孟子，問曰：『周公何人也？』曰：『古聖人也。』曰：『使管叔監殷，管叔以殷畔也，有諸？』曰：『然。』曰：『周公知其將畔而使之與？』曰：『不知也。』『然則聖人且有過與？』曰：『周公，弟也；管叔，兄也。周公之過，不亦宜乎！且古之君子，過則改之；今之君子，過則順之。古之君子，其過也，如日月之食，民皆見之，及其更也，民皆仰之。今之君子，豈徒順之，又從爲之辭。』

孟子致爲臣而歸。王就見孟子，曰：『前日願見而不可得，得侍同朝，甚喜，今又弃寡人而歸，不識可以繼此而得見乎？』對曰：『不敢請耳，固所願也。』他日，王謂時子曰：『我欲中國而授孟子室，養弟子以萬鍾，使諸大夫國人皆有所矜式。子盍爲我言之！』時子因陳子而以告孟子，陳子以時子之言告孟子。孟子曰：『然。夫時子惡知其不可也？如使予欲富，辭十萬而受萬，是爲欲富乎？季孫曰：「异哉子叔疑！使己爲政，不用，則亦已矣，又使其子弟爲卿。人亦孰不欲富貴？而獨于富貴之中有私龍斷焉。」古之爲市也，以其所有易其所無者，有司者治之耳。有賤丈夫焉，必求龍斷而登之，以左右望而罔市利。人皆以爲賤，故從而征之。征商自此賤丈夫始矣。』

孟子去齊，宿于晝。有欲爲王留行者，坐而言。不應，隱几而卧。客不悦，曰：『弟子

齊宿而後敢言，夫子臥而不聽，請勿復敢見矣。』曰：『坐！我明語子。昔者魯繆公無人乎子思之側，則不能安子思；泄柳、申詳無人乎繆公之側，則不能安其身。子爲長者慮，而不及子思。子絶長者乎？長者絶子乎？』

孟子去齊。尹士語人曰：『不識王之不可以爲湯、武，則是不明也；識其不可，然且至，則是干澤也。千里而見王，不遇故去，三宿而後出晝，是何濡滯也？士則茲不悦。』高子以告。曰：『夫尹士惡知予哉？千里而見王，是予所欲也。不遇故去，豈予所欲哉？予不得已也。予三宿而出晝，于予心猶以爲速，王庶幾改之！王如改諸，則必反予。夫出晝而王不予追也，予然後浩然有歸志。予雖然，豈舍王哉！王由足用爲善。王如用予，則豈徒齊民安，天下之民舉安。王庶幾改之！予日望之！予豈若是小丈夫然哉？諫于其君而不受，則怒，悻悻然見于其面，去則窮日之力而後宿哉？』尹士聞之，曰：『士誠小人也。』

孟子去齊，充虞路問曰：『夫子若有不豫色然。前日虞聞諸夫子曰：「君子不怨天，不尤人。」』曰：『彼一時，此一時也。五百年必有王者興，其間必有名世者。由周而來，七百有餘歲矣。以其數，則過矣；以其時考之，則可矣。夫天未欲平治天下也，如欲平治天下，當今之世，舍我其誰也？吾何爲不豫哉？』

孟子去齊，居休。公孫丑問曰：『仕而不受祿，古之道乎？』曰：『非也。于崇，吾得見王。退而有去志，不欲變，故不受也。繼而有師命，不可以請。久于齊，非我志也。』

卷五　滕文公章句上

滕文公爲世子，將之楚，過宋而見孟子。孟子道性善，言必稱堯、舜。

世子自楚反，復見孟子。孟子曰：『世子疑吾言乎？夫道一而已矣。成覸謂齊景公曰：「彼，丈夫也；我，丈夫也，吾何畏彼哉？」顔淵曰：「舜，何人也？予，何人也？有爲者亦若是！」公明儀曰：「文王，我師也；周公豈欺我哉？」今滕，絶長補短，將五十里也，猶可以爲善國。《書》曰：「若藥不瞑眩，厥疾不瘳。」』

滕定公薨。世子謂然友曰：『昔者孟子嘗與我言于宋，于心終不忘。今也不幸至于大故，吾欲使子問于孟子，然後行事。』然友之鄒，問于孟子。孟子曰：『不亦善乎！親喪，固所自盡也。曾子曰：「生，事之以禮；死，葬之以禮，祭之以禮，可謂孝矣。」諸侯之禮，吾未之學也。雖然，吾嘗聞之矣：三年之喪，齊疏之服，飦粥之食，自天子達于庶人，三代共之。』然友反命，定爲三年之喪。父兄百官皆不欲，故曰：『吾宗國魯先君莫之行，吾先君亦莫之行也，至于子之身而反之，不可。且《志》曰：「喪祭從先祖。」』曰：「吾有所受之也。」』謂然友曰：『吾他日未嘗學問，好馳馬試劍。今也父兄百官不我足也，恐其不能盡于大事，子爲我問孟子。』然友復之鄒，問孟子。孟子曰：『然，不可以他求者也。孔子曰：「君薨，聽于冢宰，歠粥，面深墨，即位而哭，百官有司莫敢不哀，先之也。」上有好者，下必有甚焉者矣。君子之德，風也；小人之德，草也。草尚之風，必偃。是在世子。』然友反命。世子曰：『然，是誠在我。』五月居廬，未有命戒。百官族人可謂曰知。及至葬，四方來觀之，顔色之戚，哭泣之哀，弔者大悦。

滕文公問爲國。孟子曰：『民事不可緩也。《詩》云：「晝爾于茅，宵爾索綯。亟其乘屋，其始播百穀。」民之爲道也，有恒産者有恒心，無恒産者無恒心。苟無恒心，放僻邪侈，無不爲已。及陷乎罪，然後從而刑之，是罔民也。焉有仁人在位罔民而可爲也？是故賢君必恭儉禮下，取于民有制。陽虎曰：「爲富不仁矣，爲仁不富矣。」夏后氏五十而貢，殷人七十而助，周人百畝而徹，其實皆什一也。徹者，徹也；助者，藉也。龍子曰：「治地

莫善于助，莫不善于貢。」貢者，挍數歲之中以爲常。樂歲，粒米狼戾，多取之而不爲虐，則寡取之；凶年，糞其田而不足，則必取盈焉。爲民父母，使民盻盻然，將終歲勤動，不得以養其父母，又稱貸而益之，使老稚轉乎溝壑，惡在其爲民父母也？夫世祿，滕固行之矣。《詩》云：「雨我公田，遂及我私。」惟助爲有公田。由此觀之，雖周亦助也。設爲庠序學校以教之。庠者，養也；校者，教也；序者，射也。夏曰校，殷曰序，周曰庠；學則三代共之，皆所以明人倫也。人倫明于上，小民親于下。有王者起，必來取法，是爲王者師也。《詩》云：「周雖舊邦，其命維新。」文王之謂也。子力行之，亦以新子之國。」

使畢戰問井地。孟子曰：「子之君將行仁政，選擇而使子，子必勉之！夫仁政，必自經界始。經界不正，井地不鈞，穀祿不平，是故暴君汙吏必慢其經界。經界既正，分田制祿可坐而定也。夫滕，壤地褊小，將爲君子焉，將爲野人焉。無君子，莫治野人；無野人，莫養君子。請野九一而助，國中什一使自賦。卿以下必有圭田，圭田五十畝，餘夫二十五畝。死徙無出鄉，鄉田同井，出入相友，守望相助，疾病相扶持，則百姓親睦。方里而井，井九百畝，其中爲公田。八家皆私百畝，同養公田；公事畢，然後敢治私事，所以别野人也。此其大略也。若夫潤澤之，則在君與子矣。」

有爲神農之言者許行，自楚之滕，踵門而告文公曰：「遠方之人聞君行仁政，願受一廛而爲氓。」文公與之處。其徒數十人，皆衣褐，捆屨，織席以爲食。陳良之徒陳相與其弟辛負耒耜而自宋之滕，曰：「聞君行聖人之政，是亦聖人也，願爲聖人氓。」陳相見許行而大悦，盡弃其學而學焉。陳相見孟子，道許行之言曰：「滕君則誠賢君也；雖然，未聞道也。賢者與民并耕而食，饔飧而治。今也滕有倉廪府庫，則是厲民而以自養也，惡得賢？」孟子曰：「許子必種粟而後食乎？」曰：「然。」「許子必織布然後衣乎？」曰：「否。許子衣褐。」「許子冠乎？」曰：「冠。」曰：「奚冠？」曰：「冠素。」曰：「自織之與？」曰：「否。以粟易之。」曰：「許子奚爲不自織？」曰：「害于耕。」曰：「許子以釜甑爨，以鐵耕乎？」曰：「然。」「自爲之與？」曰：「否。以粟易之。」「以粟易械器者，不爲厲陶冶？陶冶亦以其械器易粟者，豈爲厲農夫哉？且許子何不爲陶冶，

舍皆取諸其宮中而用之？何爲紛紛然與百工交易？何許子之不憚煩？』曰：『百工之事固不可耕且爲也。』『然則治天下獨可耕且爲與？有大人之事，有小人之事。且一人之身，而百工之所爲備，如必自爲而後用之，是率天下而路也。故曰：或勞心，或勞力。勞心者治人，勞力者治于人；治于人者食人，治人者食于人，天下之通義也。』『當堯之時，天下猶未平，洪水橫流，氾濫于天下，草木暢茂，禽獸繁殖，五穀不登，禽獸偪人，獸蹄鳥迹之道交于中國。堯獨憂之，舉舜而敷治焉。舜使益掌火，益烈山澤而焚之，禽獸逃匿。禹疏九河，瀹濟、漯而注諸海，決汝、漢，排淮、泗而注之江，然後中國可得而食也。當是時也，禹八年于外，三過其門而不入，雖欲耕，得乎？后稷教民稼穡，樹藝五穀，五穀熟而民人育。人之有道也，飽食、暖衣、逸居而無教，則近于禽獸。聖人有憂之，使契爲司徒，教以人倫：父子有親，君臣有義，夫婦有別，長幼有敘，朋友有信。放勳曰：「勞之來之，匡之直之，輔之翼之，使自得之，又從而振德之。」聖人之憂民如此，而暇耕乎？堯以不得舜爲己憂，舜以不得禹、皋陶爲己憂。夫以百畝之不易爲己憂者，農夫也。分人以財

謂之惠，教人以善謂之忠，爲天下得人者謂之仁。是故以天下與人易，爲天下得人難。孔子曰：「大哉堯之爲君！惟天爲大，惟堯則之，蕩蕩乎民無能名焉！君哉舜也！巍巍乎有天下而不與焉！」堯、舜之治天下，豈無所用其心哉？亦不用于耕耳。吾聞用夏變夷者，未聞變于夷者也。陳良，楚産也，悦周公、仲尼之道，北學于中國。北方之學者，未能或之先也。彼所謂豪杰之士也，子之兄弟事之數十年，師死而遂倍之！昔者孔子没，三年之外，門人治任將歸，入揖于子貢，相嚮而哭，皆失聲，然後歸。子貢反，築室于場，獨居三年，然後歸。他日，子夏、子張、子游以有若似聖人，欲以所事孔子事之，强曾子。曾子曰：「不可。江、漢以濯之，秋陽以暴之，皜皜乎不可尚已。」今也南蠻鴃舌之人非先王之道，子倍子之師而學之，亦异于曾子矣。吾聞出于幽谷遷于喬木者，未聞下喬木而入于幽谷者。《魯頌》曰：「戎狄是膺，荆舒是懲。」周公方且膺之，子是之學，亦爲不善變矣。』『從許子之道，則市賈不貳，國中無僞。雖使五尺之童適市，莫之或欺。布帛長短同，則賈相若；麻縷絲絮輕重同，則賈相若；五穀多寡同，則賈相若；屨大小同，則

賈相若。』曰：『夫物之不齊，物之情也。或相倍蓰，或相什百，或相千萬。子比而同之，是亂天下也。巨屨小屨同賈，人豈爲之哉？從許子之道，相率而爲僞者也，惡能治國家？』

墨者夷之因徐辟而求見孟子。孟子曰：『吾固願見，今吾尚病，病愈，我且往見，夷子不來！』他日，又求見孟子。孟子曰：『吾今則可以見矣。不直，則道不見；我且直之。吾聞夷子墨者，墨之治喪也，以薄爲其道也。夷子思以易天下，豈以爲非是而不貴也？然而夷子葬其親厚，則是以所賤事親也。』徐子以告夷子。夷子曰：『儒者之道，古之人若保赤子，此言何謂也？之則以爲愛無差等，施由親始。』徐子以告孟子。孟子曰：『夫夷子信以爲人之親其兄之子爲若親其鄰之赤子乎？彼有取爾也。赤子匍匐將入井，非赤子之罪也。且天之生物也，使之一本，而夷子二本故也。蓋上世嘗有不葬其親者，其親死，則舉而委之于壑。他日過之，狐狸食之，蠅蚋姑嘬之。其顙有泚，睨而不視。夫泚也，非爲人泚，中心達于面目，蓋歸反虆梩而掩之。掩之誠是也，則孝子仁人之掩其親，亦必有道矣。』徐子以告夷子。夷子憮然爲閒曰：『命之矣。』

陳代曰：『不見諸侯，宜若小然。今一見之，大則以王，小則以霸。且《志》曰「枉尺而直尋，」宜若可爲也。』孟子曰：『昔齊景公田，招虞人以旌。不至，將殺之。志士不忘在溝壑，勇士不忘喪其元。孔子奚取焉？取非其招不往也。如不待其招而往，何哉？且夫枉尺而直尋者，以利言也。如以利，則枉尋直尺而利，亦可爲與？昔者趙簡子使王良與嬖奚乘，終日而不獲一禽。嬖奚反命曰：「天下之賤工也。」或以告王良。良曰：「請復之。」强而後可，一朝而獲十禽。嬖奚反命曰：「天下之良工也。」簡子曰：「我使掌與女乘。」謂王良。良不可，曰：「吾爲之範我馳驅，終日不獲一；爲之詭遇，一朝而獲十。《詩》云：『不失其馳，舍矢如破。』我不貫與小人乘，請辭。」御者且羞與射者比，比而得禽獸，雖若丘陵，弗爲也。如枉道而從彼，何也？且子過矣：枉己者，未有能直人者也。」

景春曰：『公孫衍、張儀豈不誠大丈夫哉？一怒而諸侯懼，安居而天下熄。』孟子曰：『是焉得爲大丈夫乎？子未學禮乎？丈夫之冠也，父命之；女子之嫁也，母命之，往送之門，戒之曰：「往之女家，必敬必戒，無違夫子！」以順爲正者，妾婦之道也。居天下之廣居，立天下之正位，行天下之大道。得志，與民由之；不得志，獨行其道。富貴不能淫，貧賤不能移，威武不能屈，此之謂大丈夫。』

周霄問曰：『古之君子仕乎？』孟子曰：『仕。《傳》曰：「孔子三月無君，則皇皇如也。出疆必載質。」公明儀曰：「古之人三月無君，則吊。」』『三月無君則吊，不以急乎？』曰：『士之失位也，猶諸侯之失國家也。《禮》曰：「諸侯耕助，以供粢盛；夫人蠶繅，以爲衣服。犧牲不成，粢盛不潔，衣服不備，不敢以祭。惟士無田，則亦不祭。」牲殺、器皿、衣服不備，不敢以祭，則不敢以宴，亦不足吊乎？』『出疆必載質，何也？』曰：『士之仕也，猶農夫之耕也。農夫豈爲出疆舍其耒耜哉？』曰：『晋國亦仕國也，未嘗聞仕如此其急。仕如此其急也，君子之難仕，何也？』曰：『丈夫生而願爲之有室，女子生而願

爲之有家。父母之心，人皆有之。不待父母之命、媒妁之言，鑽穴隙相窺，逾墻相從，則父母國人皆賤之。古之人未嘗不欲仕也，又惡不由其道。不由其道而往者，與鑽穴隙之類也。」

彭更問曰：『後車數十乘，從者數百人，以傳食于諸侯，不以泰乎？』孟子曰：『非其道，則一簞食不可受于人；如其道，則舜受堯之天下，不以爲泰。子以爲泰乎？』曰：『否。士無事而食，不可也。』曰：『子不通功易事，以羨補不足，則農有餘粟，女有餘布；子如通之，則梓、匠、輪、輿皆得食于子。于此有人焉，入則孝，出則悌，守先王之道，以待後之學者，而不得食于子。子何尊梓、匠、輪、輿而輕爲仁義者哉？』曰：『梓、匠、輪、輿，其志將以求食也；君子之爲道也，其志亦將以求食與？』曰：『子何以其志爲哉？其有功于子，可食而食之矣。且子食志乎？食功乎？』曰：『食志。』曰：『有人于此，毁瓦畫墁，其志將以求食也，則子食之乎？』曰：『否。』曰：『然則子非食志也，食功也。』

萬章問曰：『宋，小國也，今將行王政，齊、楚惡而伐之，則如之何？』孟子曰：『湯居亳，與葛爲鄰，葛伯放而不祀，湯使人問之曰：「何爲不祀？」曰：「無以供犧牲也。」湯使遺之牛羊。葛伯食之，又不以祀。湯又使人問之曰：「何爲不祀？」曰：「無以供粢盛也。」湯使亳衆往爲之耕，老弱饋食。葛伯率其民，要其有酒食黍稻者奪之，不授者殺之。有童子以黍肉餉，殺而奪之。《書》曰：「葛伯仇餉。」此之謂也。爲其殺是童子而征之，四海之内皆曰：「非富天下也，爲匹夫匹婦復讎也。」湯始征，自葛載。十一征而無敵于天下。東面而征，西夷怨；南面而征，北狄怨。曰：「奚爲後我？」民之望之，若大旱之望雨也。歸市者弗止，芸者不變。誅其君，吊其民，如時雨降，民大悦。《書》曰：「徯我后，后來其無罰。」「有攸不惟臣，東征，綏厥士女。匪厥玄黄，紹我周王見休，惟臣附于大邑周。」其君子實玄黄于匪以迎其君子，其小人簞食壺漿以迎其小人。救民于水火之中，取其殘而已矣。《太誓》曰：「我武惟揚，侵于之疆，則取于殘，殺伐用張，于湯有光。」不行王政云爾；苟行王政，四海之内皆舉首而望之，欲以爲君。齊、楚雖大，

何畏焉？』

孟子謂戴不勝曰：『子欲子之王之善與？我明告子。有楚大夫于此，欲其子之齊語也，則使齊人傅諸？使楚人傅諸？』曰：『使齊人傅之。』曰：『一齊人傅之，衆楚人咻之，雖日撻而求其齊也，不可得矣；引而置之莊岳之間數年，雖日撻而求其楚，亦不可得矣。子謂薛居州，善士也，使之居于王所。在于王所者，長幼卑尊皆薛居州也，王誰與爲不善？在王所者，長幼卑尊皆非薛居州也，王誰與爲善？一薛居州，獨如宋王何？』

公孫丑問曰：『不見諸侯，何義？』孟子曰：『古者不爲臣不見。段干木逾垣而辟之，泄柳閉門而不內，是皆已甚。迫，斯可以見矣。陽貨欲見孔子而惡無禮，大夫有賜于士，不得受于其家，則往拜其門。陽貨瞯孔子之亡也，而饋孔子蒸豚。孔子亦瞯其亡也，而往拜之。當是時，陽貨先，豈得不見？曾子曰：「脅肩諂笑，病于夏畦。」子路曰：「未同而言，觀其色赧赧然，非由之所知也。」由是觀之，則君子之所養，可知已矣。』

戴盈之曰：『什一，去關市之征，今茲未能，請輕之，以待來年，然後已，何如？』孟子曰：『今有人日攘其鄰之鷄者，或告之曰：「是非君子之道。」曰：「請損之，月攘一鷄，以待來年，然後已。」如知其非義，斯速已矣，何待來年？』

公都子曰：『外人皆稱夫子好辯，敢問何也？』孟子曰：『予豈好辯哉？予不得已也。天下之生久矣，一治一亂。當堯之時，水逆行，氾濫于中國，蛇龍居之，民無所定。下者爲巢，上者爲營窟。《書》曰：「洚水警余。」洚水者，洪水也。使禹治之。禹掘地而注之海，驅蛇龍而放之菹。水由地中行，江、淮、河、漢是也。險阻既遠，鳥獸之害人者消，然後人得平土而居之。堯、舜既没，聖人之道衰，暴君代作。壞宮室以爲污池，民無所安息；弃田以爲園囿，使民不得衣食。邪説暴行又作，園囿、污池、沛澤多而禽獸至。及紂之身，天下又大亂。周公相武王，誅紂伐奄，三年討其君，驅飛廉于海隅而戮之，滅國者五十，驅虎、豹、犀、象而遠之，天下大悅。《書》曰：「丕顯哉，文王謨！丕承哉，武王烈！佑啓我後人，咸以正無缺。」世衰道微，邪説暴行有作，臣弑其君者有之，子弑其父者有之。孔子懼，作《春秋》。《春秋》，天子之事也。是故孔子曰：「知我者其惟《春秋》

乎！罪我者其惟《春秋》乎！」聖王不作，諸侯放恣，處士横議，楊朱、墨翟之言盈天下。天下之言不歸楊，則歸墨。楊氏爲我，是無君也；墨氏兼愛，是無父也。無父無君，是禽獸也。公明儀曰：「庖有肥肉，廄有肥馬；民有飢色，野有餓莩，此率獸而食人也。」楊墨之道不息，孔子之道不著，是邪説誣民，充塞仁義也。仁義充塞，則率獸食人，人將相食。吾爲此懼，閑先聖之道，距楊墨，放淫辭，邪説者不得作。作于其心，害于其事；作于其事，害于其政。聖人復起，不易吾言矣。昔者禹抑洪水而天下平，周公兼夷狄，驅猛獸而百姓寧，孔子成《春秋》而亂臣賊子懼。《詩》云：「戎狄是膺，荆舒是懲，則莫我敢承。」無父無君，是周公所膺也。我亦欲正人心，息邪説，距詖行，放淫辭，以承三聖者，豈好辯哉？予不得已也。能言距楊墨者，聖人之徒也。」

匡章曰：『陳仲子豈不誠廉士哉？居於陵，三日不食，耳無聞，目無見也。井上有李，螬食實者過半矣。匍匐往將食之，三咽，然後耳有聞，目有見。』孟子曰：『于齊國之士，吾必以仲子爲巨擘焉。雖然，仲子惡能廉？充仲子之操，則蚓而後可者也。夫蚓，上食槁壤，下飲黄泉。仲子所居之室，伯夷之所築與？抑亦盗跖之所築與？所食之粟，伯夷之所樹與？抑亦盗跖之所樹與？是未可知也。』曰：『是何傷哉？彼身織屨，妻辟纑，以易之也。』曰：『仲子，齊之世家也。兄戴，蓋禄萬鍾。以兄之禄爲不義之禄而不食也，以兄之室爲不義之室而不居也，辟兄離母，處于於陵。他日歸，則有饋其兄生鵝者，己頻顣曰：「惡用是鶃鶃者爲哉？」他日，其母殺是鵝也，與之食之。其兄自外至，曰：「是鶃鶃之肉也。」出而哇之。以母則不食，以妻則食之；以兄之室則弗居，以於陵則居之，是尚爲能充其類也乎？若仲子者，蚓而後充其操者也。』

卷七　離婁章句上

孟子曰：「離婁之明，公輸子之巧，不以規矩，不能成方圓；師曠之聰，不以六律，不能正五音；堯、舜之道，不以仁政，不能平治天下。今有仁心仁聞而民不被其澤，不可法于後世者，不行先王之道也。故曰：徒善不足以爲政，徒法不能以自行。《詩》云：『不愆不忘，率由舊章。』遵先王之法而過者，未之有也。聖人既竭目力焉，繼之以規矩準繩，以爲方員平直，不可勝用也；既竭耳力焉，繼之以六律正五音，不可勝用也；既竭心思焉，繼之以不忍人之政，而仁覆天下矣。故曰：爲高必因丘陵，爲下必因川澤。爲政不因先王之道，可謂智乎？是以惟仁者宜在高位，不仁而在高位，是播其惡于衆也。上無道揆也，下無法守也，朝不信道，工不信度，君子犯義，小人犯刑，國之所存者幸也。故曰：城郭不完，兵甲不多，非國之災也；田野不辟，貨財不聚，非國之害也。上無禮，下無學，賊民興，喪無日矣。《詩》曰：『天之方蹶，無然泄泄。』泄泄，猶沓沓也。事君無義，進退無禮，言則非先王之道者，猶沓沓也。故曰：責難于君謂之恭，陳善閉邪謂之敬，吾君不能謂之賊。」

孟子曰：「規矩，方員之至也；聖人，人倫之至也。欲爲君，盡君道；欲爲臣，盡臣道。二者皆法堯、舜而已矣。不以舜之所以事堯事君，不敬其君者也；不以堯之所以治民治民，賊其民者也。孔子曰：『道二，仁與不仁而已矣。』暴其民甚，則身弒國亡；不甚，則身危國削。名之曰『幽』、『厲』，雖孝子慈孫，百世不能改也。《詩》云：『殷鑒不遠，在夏后之世』此之謂也。」

孟子曰：「三代之得天下也以仁，其失天下也以不仁。國之所以廢興存亡者亦然。天子不仁，不保四海；諸侯不仁，不保社稷；卿大夫不仁，不保宗廟；士庶人不仁，不保四體。今惡死亡而樂不仁，是由惡醉而强酒。」

孟子曰：「愛人不親，反其仁；治人不治，反其智；禮人不答，反其敬。行有不得者皆反求諸己，其身正而天下歸之。《詩》云：『永言配命，自求多福。』」

孟子曰：『人有恒言，皆曰「天下國家」。天下之本在國，國之本在家，家之本在身。』

孟子曰：『爲政不難，不得罪于巨室。巨室之所慕，一國慕之；一國之所慕，天下慕之。故沛然德教溢乎四海。』

孟子曰：『天下有道，小德役大德，小賢役大賢；天下無道，小役大，弱役强。斯二者，天也。順天者存，逆天者亡。齊景公曰：「既不能令，又不受命，是絶物也。」涕出而女于吴。今也小國師大國而耻受命焉，是猶弟子而耻受命于先師也。如耻之，莫若師文王。師文王，大國五年，小國七年，必爲政于天下矣。《詩》云：「商之孫子，其麗不億。上帝既命，侯于周服。侯服于周，天命靡常。殷士膚敏，裸將于京。」孔子曰：「仁不可爲衆也。夫國君好仁，天下無敵。」今也欲無敵于天下而不以仁，是猶執熱而不以濯也。《詩》云：「誰能執熱，逝不以濯？」』

孟子曰：『不仁者可與言哉？安其危而利其灾，樂其所以亡者。不仁而可與言，則

何亡國敗家之有？有孺子歌曰：「滄浪之水清兮，可以濯我纓；滄浪之水濁兮，可以濯我足。」孔子曰：「小子聽之！清斯濯纓，濁斯濯足矣。自取之也。」夫人必自侮，然後人侮之；家必自毁，而後人毁之；國必自伐，而後人伐之。《太甲》曰：「天作孽，猶可違。自作孽，不可活。」此之謂也。』

孟子曰：『桀紂之失天下也，失其民也；失其民者，失其心也。得天下有道：得其民，斯得天下矣。得其民有道：得其心，斯得民矣。得其心有道：所欲與之聚之，所惡勿施爾也。民之歸仁也，猶水之就下、獸之走壙也。故爲淵驅魚者，獺也；爲叢驅爵者，鸇也；爲湯武驅民者，桀與紂也。今天下之君有好仁者，則諸侯皆爲之驅矣。雖欲無王，不可得已。今之欲王者，猶七年之病求三年之艾也。苟爲不畜，終身不得。苟不志于仁，終身憂辱，以陷于死亡。《詩》云：「其何能淑？載胥及溺。」此之謂也。』

孟子曰：『自暴者，不可與有言也；自弃者，不可與有爲也。言非禮義，謂之自暴也。吾身不能居仁由義，謂之自弃也。仁，人之安宅也；義，人之正路也。曠安宅而弗

居，舍正路而不由，哀哉！』

孟子曰：『道在爾而求諸遠，事在易而求諸難。人人親其親，長其長，而天下平。』

孟子曰：『居下位而不獲于上，民不可得而治也。獲于上有道：不信于友，弗獲于上矣。信于友有道：事親弗悦，弗信于友矣。悦親有道：反身不誠，不悦于親矣。誠身有道？不明乎善，不誠其身矣。是故誠者，天之道也。思誠者，人之道也。至誠而不動者，未之有也。不誠，未有能動者也。』

孟子曰：『伯夷辟紂，居北海之濱，聞文王作，興曰：「盍歸乎來！吾聞西伯善養老者。」太公辟紂，居東海之濱，聞文王作，興曰：「盍歸乎來！吾聞西伯善養老者。」二老者，天下之大老也，而歸之，是天下之父歸之也。天下之父歸之，其子焉往？諸侯有行文王之政者，七年之内，必爲政于天下矣。』

孟子曰：『求也爲季氏宰，無能改于其德，而賦粟倍他日。孔子曰：「求非我徒也。小子鳴鼓而攻之可也。」由此觀之，君不行仁政而富之，皆弃于孔子者也。况于爲之强戰？争地以戰，殺人盈野；争城以戰，殺人盈城，此所謂率土地而食人肉，罪不容于死。故善戰者服上刑，連諸侯者次之，辟草萊、任土地者次之。』

孟子曰：『存乎人者，莫良于眸子。眸子不能掩其惡。胸中正則眸子瞭焉，胸中不正則眸子眊焉。聽其言也，觀其眸子，人焉廋哉！』

孟子曰：『恭者不侮人，儉者不奪人。侮奪人之君，惟恐不順焉，惡得爲恭儉？恭儉豈可以聲音笑貌爲哉？』

淳于髡曰：『男女授受不親，禮與？』孟子曰：『禮也。』曰：『嫂溺，則援之以手乎？』曰：『嫂溺不援，是豺狼也。男女授受不親，禮也。嫂溺，援之以手者，權也。』曰：『今天下溺矣，夫子之不援，何也？』曰：『天下溺，援之以道。嫂溺，援之以手。子欲手援天下乎？』

公孫丑曰：『君子之不教子，何也？』孟子曰：『勢不行也。教者必以正。以正不行，繼之以怒。繼之以怒，則反夷矣。「夫子教我以正，夫子未出于正也。」則是父子相夷也。

父子相夷，則惡矣。古者易子而教之，父子之間不責善。責善則離，離則不祥莫大焉。』

孟子曰：『事孰爲大？事親爲大。守孰爲大？守身爲大。不失其身而能事其親者，吾聞之矣。失其身而能事其親者，吾未之聞也。孰不爲事？事親，事之本也。孰不爲守？守身，守之本也。曾子養曾晳，必有酒肉。將徹，必請所與。問有餘，必曰：「有。」曾晳死，曾元養曾子，必有酒肉。將徹，不請所與。問有餘，曰：「亡矣。」將以復進也。此所謂養口體者也。若曾子，則可謂養志也。事親若曾子者，可也。』

孟子曰：『人不足與適也，政不足與間也。唯大人爲能格君心之非。君仁，莫不仁；君義，莫不義；君正，莫不正。一正君而國定矣。』

孟子曰：『有不虞之譽，有求全之毁。』

孟子曰：『人之易其言也，無責耳矣。』

孟子曰：『人之患在好爲人師。』

樂正子從于子敖之齊。樂正子見孟子。孟子曰：『子亦來見我乎？』曰：『先生何爲出此言也？』曰：『子來幾日矣？』曰：『昔者。』曰：『昔者，則我出此言也，不亦宜乎？』曰：『舍館未定。』曰：『子聞之也：舍館定，然後求見長者乎？』曰：『克有罪。』

孟子謂樂正子曰：『子之從于子敖來，徒餔啜也。我不意子學古之道而以餔啜也。』

孟子曰：『不孝有三，無後爲大。舜不告而娶，爲無後也，君子以爲猶告也。』

孟子曰：『仁之實，事親是也；義之實，從兄是也；智之實，知斯二者弗去是也；禮之實，節文斯二者是也；樂之實，樂斯二者，樂則生矣；生則惡可已也，惡可已，則不知足之蹈之手之舞之。』

孟子曰：『天下大悦而將歸己，視天下悦而歸己猶草芥也，惟舜爲然。不得乎親，不可以爲人；不順乎親，不可以爲子。舜盡事親之道而瞽瞍厎豫，瞽瞍厎豫而天下化，瞽瞍厎豫而天下之爲父子者定，此之謂大孝。』

卷八　離婁章句下

孟子曰：「舜生于諸馮，遷于負夏，卒于鳴條，東夷之人也。文王生于岐周，卒于畢郢，西夷之人也。地之相去也，千有餘里；世之相後也，千有餘歲。得志行乎中國，若合符節，先聖後聖，其揆一也。」

子產聽鄭國之政，以其乘輿濟人于溱洧。孟子曰：「惠而不知爲政。歲十一月，徒杠成；十二月，輿梁成，民未病涉也。君子平其政，行辟人可也，焉得人人而濟之？故爲政者，每人而悅之，日亦不足矣。」

孟子告齊宣王曰：「君之視臣如手足，則臣視君如腹心；君之視臣如犬馬，則臣視君如國人；君之視臣如土芥，則臣視君如寇讎。」王曰：「禮，爲舊君有服。何如斯可爲服矣？」曰：「諫行言聽，膏澤下于民；有故而去，則使人導之出疆，又先于其所往；去三年不反，然後收其田里。此之謂三有禮焉。如此，則爲之服矣。今也爲臣，諫則不行，言則不聽，膏澤不下于民；有故而去，則君搏執之，又極之于其所往；去之日，遂收其田里。此之謂寇讎。寇讎何服之有？」

孟子曰：「無罪而殺士，則大夫可以去；無罪而戮民，則士可以徙。」

孟子曰：「君仁，莫不仁；君義，莫不義。」

孟子曰：「非禮之禮，非義之義，大人弗爲。」

孟子曰：「中也養不中，才也養不才，故人樂有賢父兄也。如中也棄不中，才也棄不才，則賢不肖之相去，其間不能以寸。」

孟子曰：「人有不爲也，而後可以有爲。」

孟子曰：「言人之不善，當如後患何？」

孟子曰：「仲尼不爲已甚者。」

孟子曰：「大人者，言不必信，行不必果，惟義所在。」

孟子曰：「大人者，不失其赤子之心者也。」

孟子曰：『養生者不足以當大事，惟送死可以當大事。』

孟子曰：『君子深造之以道，欲其自得之也。自得之，則居之安；居之安，則資之深；資之深，則取之左右逢其原，故君子欲其自得之也。』

孟子曰：『博學而詳說之，將以反說約也。』

孟子曰：『以善服人者，未有能服人者也。以善養人，然後能服天下。天下不心服而王者，未之有也。』

孟子曰：『言無實不祥。不祥之實，蔽賢者當之。』

徐子曰：『仲尼亟稱于水，曰「水哉，水哉！」何取于水也？』孟子曰：『原泉混混，不舍晝夜，盈科而後進，放乎四海。有本者如是，是之取爾。苟爲無本，七八月之間雨集，溝澮皆盈；其涸也，可立而待也。故聲聞過情，君子耻之。』

孟子曰：『人之所以异于禽獸者幾希，庶民去之，君子存之。舜明于庶物，察于人倫，由仁義行，非行仁義也。』

孟子曰：『禹惡旨酒而好善言。湯執中，立賢無方。文王視民如傷，望道而未之見。武王不泄邇，不忘遠。周公思兼三王，以施四事。其有不合者，仰而思之，夜以繼日；幸而得之，坐以待旦。』

孟子曰：『王者之迹熄而《詩》亡，《詩》亡然後《春秋》作。晉之《乘》，楚之《檮杌》，魯之《春秋》，一也。其事則齊桓、晉文，其文則史。孔子曰：「其義則丘竊取之矣。」』

孟子曰：『君子之澤五世而斬，小人之澤五世而斬。予未得爲孔子徒也，予私淑諸人也。』

孟子曰：『可以取，可以無取，取傷廉；可以與，可以無與，與傷惠；可以死，可以無死，死傷勇。』

逢蒙學射于羿，盡羿之道，思天下惟羿爲愈己，于是殺羿。孟子曰：『是亦羿有罪焉。』公明儀曰：『宜若無罪焉。』曰：『薄乎云爾，惡得無罪？鄭人使子濯孺子侵衛，

衛使庾公之斯追之。子濯孺子曰：「今日我疾作，不可以執弓。吾死矣夫！」問其僕曰：「追我者誰也？」其僕曰：「庾公之斯也。」曰：「吾生矣。」其僕曰：「庾公之斯，衛之善射者也。夫子曰『吾生』，何謂也？」曰：「庾公之斯學射于尹公之他，尹公之他學射于我。夫尹公之他，端人也，其取友必端矣。」庾公之斯至，曰：「夫子何爲不執弓？」曰：「今日我疾作，不可以執弓。」曰：「小人學射于尹公之他，尹公之他學射于夫子。我不忍以夫子之道反害夫子。雖然，今日之事，君事也，我不敢廢。」抽矢，扣輪，去其金，發乘矢而後反。』

孟子曰：『西子蒙不潔，則人皆掩鼻而過之。雖有惡人，齊戒沐浴，則可以祀上帝。』

孟子曰：『天下之言性也，則故而已矣。故者以利爲本。所惡于智者，爲其鑿也。如智者若禹之行水也，則無惡于智矣。禹之行水也，行其所無事也。如智者亦行其所無事，則智亦大矣。天之高也，星辰之遠也，苟求其故，千歲之日至，可坐而致也。』

公行子有子之喪。右師往吊。入門，有進而與右師言者，有就右師之位而與右師言者。孟子不與右師言，右師不悦，曰：『諸君子皆與驩言，孟子獨不與驩言，是簡驩也。』孟子聞之，曰：『禮，朝廷不歷位而相與言，不逾階而相揖也。我欲行禮，子敖以我爲簡，不亦异乎？』

孟子曰：『君子所以异于人者，以其存心也。君子以仁存心，以禮存心。仁者愛人，有禮者敬人。愛人者，人恒愛之；敬人者，人恒敬之。有人于此，其待我以横逆，則君子必自反也：我必不仁也，必無禮也，此物奚宜至哉？其自反而仁矣，自反而有禮矣，其横逆由是也，君子必自反也，我必不忠。自反而忠矣，其横逆由是也。君子曰：「此亦妄人也已矣。如此，則與禽獸奚擇哉？于禽獸又何難焉？」是故君子有終身之憂，無一朝之患也。乃若所憂則有之：舜，人也；我，亦人也。舜爲法于天下，可傳于後世，我由未免爲鄉人也，是則可憂也。憂之如何？如舜而已矣。若夫君子所患，則亡矣。非仁無爲也，非禮無行也。如有一朝之患，則君子不患矣。』

禹、稷當平世，三過其門而不入，孔子賢之。顔子當亂世，居于陋巷，一簞食，一瓢

飲；人不堪其憂，顔子不改其樂，孔子賢之。孟子曰：『禹、稷、顔回同道。禹思天下有溺者，由己溺之也；稷思天下有飢者，由己飢之也，是以如是其急也。禹、稷、顔子易地則皆然。今有同室之人鬬者，救之，雖被髮纓冠而救之，可也；鄉鄰有鬬者，被髮纓冠而往救之，則惑也，雖閉戶可也。』

公都子曰：『匡章，通國皆稱不孝焉。夫子與之遊，又從而禮貌之，敢問何也？』孟子曰：『世俗所謂不孝者五：惰其四支，不顧父母之養，一不孝也；博弈好飲酒，不顧父母之養，二不孝也；好貨財，私妻子，不顧父母之養，三不孝也；從耳目之欲，以爲父母戮，四不孝也；好勇鬬很，以危父母，五不孝也。章子有一于是乎？夫章子，子父責善而不相遇也。責善，朋友之道也；父子責善，賊恩之大者。夫章子，豈不欲有夫妻子母之屬哉？爲得罪于父，不得近，出妻屏子，終身不養焉。其設心以爲不若是，是則罪之大者，是則章子已矣。』

曾子居武城，有越寇。或曰：『寇至，盍去諸？』曰：『無寓人于我室，毁傷其薪

木。』寇退，則曰：『脩我墻屋，我將反。』寇退，曾子反。左右曰：『待先生如此其忠且敬也，寇至則先去以爲民望，寇退則反，殆于不可。』沈猶行曰：『是非汝所知也。昔沈猶有負芻之禍，從先生者七十人，未有與焉。』子思居于衛，有齊寇。或曰：『寇至，盍去諸？』子思曰：『如伋去，君誰與守？』孟子曰：『曾子、子思同道。曾子，師也，父兄也。子思，臣也，微也。曾子、子思易地則皆然。』

儲子曰：『王使人瞷夫子，果有以异于人乎？』孟子曰：『何以异于人哉？堯、舜與人同耳。』

齊人有一妻一妾而處室者，其良人出，則必饜酒肉而後反。其妻問所與飲食者，則盡富貴也。其妻告其妾曰：『良人出，則必饜酒肉而後反。問其與飲食者，盡富貴也，而未嘗有顯者來，吾將瞷良人之所之也。』蚤起，施從良人之所之，遍國中無與立談者。卒之東郭墦間，之祭者乞其餘；不足，又顧而之他：此其爲饜足之道也。其妻歸，告其妾曰：『良人者，所仰望而終身也。今若此！』與其妾訕其良人，而相泣于中庭。而良人

未之知也，施施從外來，驕其妻妾。由君子觀之，則人之所以求富貴利達者，其妻妾不羞也，而不相泣者，幾希矣。

卷九　萬章章句上

萬章問曰：『舜往于田，號泣于旻天。何爲其號泣也？』孟子曰：『怨慕也。』萬章曰：『「父母愛之，喜而不忘；父母惡之，勞而不怨。」然則舜怨乎？』曰：『長息問于公明高曰：「舜往于田，則吾既得聞命矣。號泣于旻天，于父母，則吾不知也。」公明高曰：「是非爾所知也。」夫公明高以孝子之心爲不若是恝。我竭力耕田，共爲子職而已矣。父母之不我愛，于我何哉？帝使其子九男二女，百官牛羊倉廩備，以事舜于畎畝之中，天下之士多就之者，帝將胥天下而遷之焉。爲不順于父母，如窮人無所歸。天下之士悦之，人之所欲也，而不足以解憂；好色，人之所欲，妻帝之二女，而不足以解憂；富，人之所欲，富有天下，而不足以解憂；貴，人之所欲，貴爲天子，而不足以解憂。人悦之、好色、富、貴，無足以解憂者，惟順于父母可以解憂。人少則慕父母，知好色則慕少艾，有妻子則慕妻子，仕則慕君，不得于君則熱中。大孝，終身慕父母。五十而慕者，予于

大舜見之矣。』

萬章問曰：『《詩》云，「娶妻如之何？必告父母」。信斯言也，宜莫如舜。舜之不告而娶，何也？』孟子曰：『告則不得娶。男女居室，人之大倫也。如告，則廢人之大倫以懟父母，是以不告也。』萬章曰：『舜之不告而娶，則吾既得聞命矣。帝之妻舜而不告，何也？』曰：『帝亦知告焉則不得妻也。』萬章曰：『父母使舜完廩，捐階，瞽瞍焚廩。使浚井，出，從而揜之。象曰：「謨蓋都君咸我績。牛羊，父母。倉廩，父母。干戈，朕。琴，朕。弤，朕。二嫂，使治朕棲。」象往入舜宫，舜在床琴。象曰：「鬱陶思君爾。」忸怩。舜曰：「惟茲臣庶。汝其于予治。」不識舜不知象之將殺己與？』曰：『奚而不知也？象憂亦憂，象喜亦喜。』曰：『然則舜僞喜者與？』曰：『否。昔者有饋生魚于鄭子産，子産使校人畜之池。校人烹之，反命曰：「始舍之，圉圉焉；少則洋洋焉，攸然而逝。」子産曰：「得其所哉！得其所哉！」校人出，曰：「孰謂子産智？予既烹而食之，曰：得其所哉！得其所哉！」故君子可欺以其方，難罔以非其道。彼以愛兄之道來，故誠信

而喜之，奚僞焉？』

萬章問曰：『象日以殺舜爲事，立爲天子則放之，何也？』孟子曰：『封之也。或曰「放焉」。』萬章曰：『舜流共工于幽州，放驩兜于崇山，殺三苗于三危，殛鯀于羽山：四罪而天下咸服，誅不仁也。象至不仁，封之有庳。有庳之人奚罪焉？仁人固如是乎？在他人則誅之，在弟則封之？』曰：『仁人之于弟也，不藏怒焉，不宿怨焉，親愛之而已矣。親之，欲其貴也；愛之，欲其富也。封之有庳，富貴之也。身爲天子，弟爲匹夫，可謂親愛之乎？』『敢問「或曰放」者，何謂也？』曰：『象不得有爲于其國，天子使吏治其國而納其貢稅焉，故謂之「放」。豈得暴彼民哉？雖然，欲常常而見之，故源源而來，「不及貢，以政接于有庳」。此之謂也。』

咸丘蒙問曰：『語云：盛德之士，君不得而臣，父不得而子。舜南面而立，堯帥諸侯北面而朝之，瞽瞍亦北面而朝之。舜見瞽瞍，其容有蹙。孔子曰：「于斯時也，天下殆哉，岌岌乎！」不識此語誠然乎哉？』孟子曰：『否。此非君子之言，齊東野人之語也。堯老而舜攝也。《堯典》曰：「二十有八載，放勳乃徂落，百姓如喪考妣。三年，四海遏密八音。」孔子曰：「天無二日，民無二王。」舜既爲天子矣，又帥天下諸侯以爲堯三年喪，是二天子矣。』咸丘蒙曰：『舜之不臣堯，則吾既得聞命矣。《詩》云：「普天之下，莫非王土。率土之濱，莫非王臣。」而舜既爲天子矣，敢問瞽瞍之非臣，如何？』曰：『是詩也，非是之謂也。勞于王事而不得養父母也。曰：「此莫非王事，我獨賢勞也。」故說詩者不以文害辭，不以辭害志。以意逆志，是爲得之。如以辭而已矣，《雲漢》之詩曰：「周餘黎民，靡有孑遺。」信斯言也，是周無遺民也。孝子之至，莫大乎尊親；尊親之至，莫大乎以天下養。爲天下父，尊之至也。以天下養，養之至也。《詩》曰：「永言孝思，孝思惟則。」此之謂也。《書》曰：「祗載見瞽瞍，夔夔齊栗，瞽瞍亦允若。」是爲父不得而子也。』

萬章曰：『堯以天下與舜，有諸？』孟子曰：『否。天子不能以天下與人。』『然則舜有天下也，孰與之？』曰：『天與之。』『天與之者，諄諄然命之乎？』曰：『否。天不

言，以行與事示之而已矣。』曰：『以行與事示之者，如之何？』曰：『天子能薦人于天，不能使天與之天下。諸侯能薦人于天子，不能使天子與之諸侯。大夫能薦人于諸侯，不能使諸侯與之大夫。昔者堯薦舜于天而天受之，暴之于民而民受之，故曰：天不言，以行與事示之而已矣。』曰：『敢問薦之于天而天受之，暴之于民而民受之，如何？』曰：『使之主祭而百神享之，是天受之；使之主事而事治，百姓安之，是民受之也。天與之，人與之，故曰：天子不能以天下與人。舜相堯二十有八載，非人之所能爲也，天也。堯崩，三年之喪畢，舜避堯之子于南河之南。天下諸侯朝覲者，不之堯之子而之舜；訟獄者，不之堯之子而之舜；謳歌者，不謳歌堯之子而謳歌舜，故曰：天也。夫然後之中國，踐天子位焉。而居堯之宮，逼堯之子，是篡也，非天與也。《太誓》曰：「天視自我民視，天聽自我民聽。」此之謂也。』

萬章問曰：『人有言「至于禹而德衰，不傳于賢而傳于子」，有諸？』孟子曰：『否，不然也。天與賢，則與賢；天與子，則與子。昔者，舜薦禹于天，十有七年，舜崩。三年之喪畢，禹避舜之子于陽城，天下之民從之，若堯崩之後不從堯之子而從舜也。禹薦益于天。七年，禹崩。三年之喪畢，益避禹之子于箕山之陰。朝覲訟獄者不之益而之啓，曰：「吾君之子也。」謳歌者，不謳歌益而謳歌啓，曰：「吾君之子也。」丹朱之不肖，舜之子亦不肖。舜之相堯、禹之相舜也，歷年多，施澤于民久。啓賢，能敬承繼禹之道。益之相禹也，歷年少，施澤于民未久。舜、禹、益相去久遠，其子之賢不肖，皆天也，非人之所能爲也。莫之爲而爲者，天也；莫之致而至者，命也。匹夫而有天下者，德必若舜、禹，而又有天子薦之者，故仲尼不有天下。繼世而有天下，天之所廢，必若桀紂者也，故益、伊尹、周公不有天下。伊尹相湯以王于天下，湯崩，太丁未立，外丙二年，仲壬四年。太甲顛覆湯之典刑，伊尹放之于桐三年。太甲悔過，自怨自艾，于桐處仁遷義，三年，以聽伊尹之訓己也，復歸于亳。周公之不有天下，猶益之于夏、伊尹之于殷也。孔子曰：「唐虞禪，夏后、殷、周繼，其義一也。」』

萬章問曰：『人有言「伊尹以割烹要湯」，有諸？』孟子曰：『否，不然。伊尹耕于

有莘之野，而樂堯、舜之道焉。非其義也，非其道也，祿之以天下弗顧也，繫馬千駟弗視也。非其義也，非其道也。一介不以與人，一介不以取諸人。湯使人以幣聘之，囂囂然曰：「我何以湯之聘幣爲哉？我豈若處畎畝之中，由是以樂堯、舜之道哉？」湯三使往聘之，既而幡然改曰：「與我處畎畝之中，由是以樂堯、舜之道，吾豈若使是君爲堯、舜之君哉？吾豈若使是民爲堯、舜之民哉？吾豈若于吾身親見之哉？天之生此民也，使先知覺後知，使先覺覺後覺也。予，天民之先覺者也。予將以斯道覺斯民也，非予覺之而誰也？」思天下之民，匹夫匹婦有不被堯舜之澤者，若已推而內之溝中，其自任以天下之重如此，故就湯而説之以伐夏救民。吾未聞枉己而正人者也，况辱己以正天下者乎？聖人之行不同也，或遠或近，或去或不去，歸潔其身而已矣。吾聞其以堯舜之道要湯，未聞以割烹也。《伊訓》曰：「天誅造攻自牧宮，朕載自亳。」」

萬章問曰：『或謂孔子于衛主癰疽，于齊主侍人瘠環，有諸乎？』孟子曰：『否，不然也。好事者爲之也。于衛主顏讎由。彌子之妻與子路之妻，兄弟也。彌子謂子路曰：

「孔子主我，衛卿可得也。」子路以告。孔子曰：「有命。」孔子進以禮，退以義，得之不得曰「有命」。而主癰疽與侍人瘠環，是無義無命也。孔子不悦于魯、衛，遭宋桓司馬，將要而殺之，微服而過宋。是時孔子當阨，主司城貞子，爲陳侯周臣。吾聞觀近臣，以其所爲主；觀遠臣，以其所主。若孔子主癰疽與侍人瘠環，何以爲孔子？』

萬章問曰：『或曰：「百里奚自鬻于秦養牲者，五羊之皮，食牛，以要秦穆公。」信乎？』孟子曰：『否，不然。好事者爲之也。百里奚，虞人也。晋人以垂棘之璧與屈產之乘，假道于虞以伐虢。宮之奇諫，百里奚不諫。知虞公之不可諫而去之秦，年已七十矣。曾不知以食牛干秦穆公之爲污也，可謂智乎？不可諫而不諫，可謂不智乎？知虞公之將亡而先去之，不可謂不智也。時舉于秦，知穆公之可與有行也而相之，可謂不智乎？相秦而顯其君于天下，可傳于後世，不賢而能之乎？自鬻以成其君，鄉黨自好者不爲，而謂賢者爲之乎？』

卷十　萬章章句下

孟子曰：『伯夷目不視惡色，耳不聽惡聲。非其君不事，非其民不使。治則進，亂則退。横政之所出，横民之所止，不忍居也。思與鄉人處，如以朝衣朝冠坐于塗炭也。當紂之時，居北海之濱，以待天下之清也。故聞伯夷之風者，頑夫廉，懦夫有立志。伊尹曰：「何事非君？何使非民？」治亦進，亂亦進，曰：「天之生斯民也，使先知覺後知，使先覺覺後覺。予，天民之先覺者也。予將以此道覺此民也。」思天下之民，匹夫匹婦有不與被堯舜之澤者，若己推而内之溝中，其自任以天下之重也。柳下惠不羞污君，不辭小官。進不隱賢，必以其道。遺佚而不怨，厄窮而不憫。與鄉人處，由由然不忍去也。「爾爲爾，我爲我，雖袒裼裸裎于我側，爾焉能浼我哉？」故聞柳下惠之風者，鄙夫寬，薄夫敦。孔子之去齊，接淅而行。去魯，曰：「遲遲吾行也，去父母國之道也。」可以速而速，可以久而久，可以處而處，可以仕而仕，孔子也。』孟子曰：『伯夷，聖之清者也；伊尹，

聖之任者也；柳下惠，聖之和者也；孔子，聖之時者也。孔子之謂集大成。集大成也者，金聲而玉振之也。金聲也者，始條理也；玉振之也者，終條理也。始條理者，智之事也；終條理者，聖之事也。智，譬則巧也；聖，譬則力也。由射于百步之外也，其至，爾力也；其中，非爾力也。』

北宫錡問曰：『周室班爵禄也，如之何？』孟子曰：『其詳不可得聞也，諸侯惡其害己也，而皆去其籍；然而軻也嘗聞其略也。天子一位，公一位，侯一位，伯一位，子、男同一位，凡五等也。君一位，卿一位，大夫一位，上士一位，中士一位，下士一位，凡六等。天子之制，地方千里，公侯皆方百里，伯七十里，子、男五十里，凡四等。不能五十里，不達于天子，附于諸侯，曰附庸。天子之卿受地視侯，大夫受地視伯，元士受地視子、男。大國地方百里，君十卿禄，卿禄四大夫，大夫倍上士，上士倍中士，中士倍下士，下士與庶人在官者同禄，禄足以代其耕也。次國地方七十里，君十卿禄，卿禄三大夫，大夫倍上士，上士倍中士，中士倍下士，下士與庶人在官者同禄，禄足以代其耕也。小國地方五十

里，君十卿禄，卿禄二大夫，大夫倍上士，上士倍中士，中士倍下士，下士與庶人在官者同禄，禄足以代其耕也。耕者之所獲，一夫百畝；百畝之糞，上農夫食九人，上次食八人，中食七人，中次食六人，下食五人。庶人在官者，其禄以是爲差。』

萬章問曰：『敢問友。』孟子曰：『不挾長，不挾貴，不挾兄弟而友。友也者，友其德也，不可以有挾也。孟獻子，百乘之家也，有友五人焉：樂正裘、牧仲，其三人則予忘之矣。獻子之與此五人者友也，無獻子之家者也。此五人者，亦有獻子之家，則不與之友矣。非惟百乘之家爲然也，雖小國之君亦有之。費惠公曰：「吾于子思，則師之矣；吾于顔般，則友之矣。王順、長息，則事我者也。」非惟小國之君爲然也，雖大國之君亦有之。晉平公之于亥唐也，入云則入，坐云則坐，食云則食。雖疏食菜羹，未嘗不飽，蓋不敢不飽也。然終于此而已矣，弗與共天位也，弗與治天職也，弗與食天禄也。士之尊賢者也，非王公之尊賢也。舜尚見帝，帝館甥于貳室，亦饗舜，迭爲賓主，是天子而友匹夫也。用下敬上，謂之貴貴；用上敬下，謂之尊賢。貴貴、尊賢，其義一也。』

萬章曰：『敢問交際何心也？』孟子曰：『恭也。』曰：『「却之却之爲不恭」，何哉？』曰：『尊者賜之。曰：「其所取之者，義乎？不義乎？」而後受之，以是爲不恭，故弗却也。』曰：『請無以辭却之，以心却之，曰：「其取諸民之不義也。」而以他辭無受，不可乎？』曰：『其交也以道，其接也以禮，斯孔子受之矣。』萬章曰：『今有禦人于國門之外者，其交也以道，其饋也以禮，斯可受禦與？』曰：『不可。《康誥》曰：「殺越人于貨，閔不畏死，凡民罔不譈。」是不待教而誅者也。殷受夏，周受殷，所不辭也。于今爲烈，如之何其受之？』曰：『今之諸侯取之于民也，猶禦也。苟善其禮際矣，斯君子受之。敢問何説也？』曰：『子以爲有王者作，將比今之諸侯而誅之乎？其教之不改而後誅之乎？夫謂非其有而取之者盜也，充類至義之盡也。孔子之仕于魯也，魯人獵較，孔子亦獵較；獵較猶可，而况受其賜乎？』曰：『然則孔子之仕也，非事道與？』曰：『事道也。』『事道奚獵較也？』曰：『孔子先簿正祭器，不以四方之食供簿正。』曰：『奚不去也？』曰：『爲之兆也。兆足以行矣，而不行，而後去，是以未嘗有所終三年淹也。孔子有見行

可之仕，有際可之仕，有公養之仕。于季桓子，見行可之仕也；于衛靈公，際可之仕也；于衛孝公，公養之仕也。」

孟子曰：「仕非爲貧也，而有時乎爲貧；娶妻非爲養也，而有時乎爲養。爲貧者，辭尊居卑，辭富居貧。辭尊居卑，辭富居貧，惡乎宜乎？抱關擊柝。孔子嘗爲委吏矣，曰：「會計當而已矣。」嘗爲乘田矣，曰：「牛羊茁壯長而已矣。」位卑而言高，罪也。立乎人之本朝而道不行，恥也。」

萬章曰：「士之不托諸侯，何也？」孟子曰：「不敢也。諸侯失國而後托于諸侯，禮也。士之托于諸侯，非禮也。」萬章曰：「君饋之粟，則受之乎？」曰：「受之。」「受之何義也？」曰：「君之于氓也，固周之。」曰：「周之則受，賜之則不受，何也？」曰：「不敢也。」曰：「敢問其不敢何也？」曰：「抱關擊柝者，皆有常職以食于上。無常職而賜于上者，以爲不恭也。」曰：「君饋之，則受之，不識可常繼乎？」曰：「繆公之于子思也，亟問，亟饋鼎肉。子思不悦。于卒也，摽使者出諸大門之外，北面稽首再拜而不受，曰：「今而後知君之犬馬畜伋！」蓋自是臺無饋也。悦賢不能舉，又不能養也，可謂悦賢乎？」曰：「敢問國君欲養君子，如何斯可謂養矣？」曰：「以君命將之，再拜稽首而受。其後廩人繼粟，庖人繼肉，不以君命將之。子思以爲鼎肉使己僕僕爾亟拜也，非養君子之道也。堯之于舜也，使其子九男事之，二女女焉，百官牛羊倉廩備，以養舜于畎畝之中，後舉而加諸上位，故曰王公之尊賢者也。」

萬章曰：「敢問不見諸侯，何義也？」孟子曰：「在國曰市井之臣，在野曰草莽之臣，皆謂庶人。庶人不傳質爲臣，不敢見于諸侯，禮也。」萬章曰：「庶人，召之役，則往役；君欲見之，召之，則不往見之。何也？」曰：「往役，義也；往見，不義也。且君之欲見之也，何爲也哉？」曰：「爲其多聞也，爲其賢也。」曰：「爲其多聞也，則天子不召師，而況諸侯乎？爲其賢也，則吾未聞欲見賢而召之也。繆公亟見于子思，曰：「古千乘之國以友士，何如？」子思不悦，曰：「古之人有言曰，事之云乎？豈曰友之云乎？」子思之不悦也，豈不曰：「以位，則子君也，我臣也，何敢與君友也？以德，則子事我者

也，奚可以與我友？』千乘之君求與之友而不可得也，而況可召與？齊景公田，招虞人以旌，不至，將殺之。志士不忘在溝壑，勇士不忘喪其元。孔子奚取焉？取非其招不往也。』曰：『敢問招虞人何以？』曰：『以皮冠。庶人以旃，士以旂，大夫以旌。以大夫之招招虞人，虞人死不敢往。以士之招招庶人，庶人豈敢往哉？況乎以不賢人之招招賢人乎？欲見賢人而不以其道，猶欲其入而閉之門也。夫義，路也；禮，門也。惟君子能由是路，出入是門也。《詩》云：「周道如底，其直如矢。君子所履，小人所視。」』萬章曰：『孔子君命召，不俟駕而行。然則孔子非與？』曰：『孔子當仕有官職，而以其官召之也。』

孟子謂萬章曰：『一鄉之善士斯友一鄉之善士，一國之善士斯友一國之善士，天下之善士斯友天下之善士。以友天下之善士爲未足，又尚論古之人。頌其詩，讀其書，不知其人，可乎？是以論其世也，是尚友也。』

齊宣王問卿。孟子曰：『王何卿之問也？』王曰：『卿不同乎？』曰：『不同。有貴戚之卿，有异姓之卿。』王曰：『請問貴戚之卿。』曰：『君有大過則諫，反覆之而不聽，則易位。』王勃然變乎色。曰：『王勿异也。王問臣，臣不敢不以正對。』王色定，然後請問异姓之卿。曰：『君有過則諫，反覆之而不聽，則去。』

卷十一　告子章句上

告子曰：『性，猶杞柳也。義，猶桮棬也。以人性爲仁義，猶以杞柳爲桮棬。』孟子曰：『子能順杞柳之性而以爲桮棬乎？將戕賊杞柳而後以爲桮棬也。如將戕賊杞柳而以爲桮棬，則亦將戕賊人以爲仁義與？率天下之人而禍仁義者，必子之言夫！』

告子曰：『性猶湍水也，決諸東方則東流，決諸西方則西流。人性之無分于善不善也，猶水之無分于東西也。』孟子曰：『水信無分于東西，無分于上下乎？人性之善也，猶水之就下也。人無有不善，水無有不下。今夫水，搏而躍之，可使過顙；激而行之，可使在山。是豈水之性哉？其勢則然也。人之可使爲不善，其性亦猶是也。』

告子曰：『生之謂性。』孟子曰：『生之謂性也，猶白之謂白與？』曰：『然。』『白羽之白也，猶白雪之白；白雪之白，猶白玉之白與？』曰：『然。』『然則犬之性猶牛之性，牛之性猶人之性歟？』

告子曰：『食色，性也。仁，内也，非外也。義，外也，非内也。』孟子曰：『何以謂仁内義外也？』曰：『彼長而我長之，非有長于我也。猶彼白而我白之，從其白于外也，故謂之外也。』曰：『异于白馬之白也，無以异于白人之白也。不識長馬之長也，無以异于長人之長與？且謂長者義乎？長之者義乎？』曰：『吾弟則愛之，秦人之弟則不愛也，是以我爲悦者也，故謂之内。長楚人之長，亦長吾之長，是以長爲悦者也，故謂之外也。』曰：『耆秦人之炙，無以异于耆吾炙。夫物則亦有然者也，然則耆炙亦有外與？』

孟季子問公都子曰：『何以謂義内也？』曰：『行吾敬，故謂之内也。』『鄉人長于伯兄一歲，則誰敬？』曰：『敬兄。』『酌則誰先？』曰：『先酌鄉人。』『所敬在此，所長在彼，果在外，非由内也。』公都子不能答，以告孟子。孟子曰：『敬叔父乎？敬弟乎？彼將曰：「敬叔父。」曰：「弟爲尸，則誰敬？」彼將曰：「敬弟。」子曰：「惡在其敬叔父也？」彼將曰：「在位故也。」子亦曰：「在位故也。庸敬在兄，斯須之敬在鄉人。」』季子聞之，曰：『敬叔父則敬，敬弟則敬，果在外，非由内也。』公都子曰：『冬

日則飲湯，夏日則飲水，然則飲食亦在外也？』

公都子曰：『告子曰：「性無善無不善也。」或曰：「性可以爲善，可以爲不善。是故文、武興則民好善，幽、厲興則民好暴。」或曰：「有性善，有性不善。是故以堯爲君而有象，以瞽瞍爲父而有舜，以紂爲兄之子且以爲君，而有微子啓、王子比干。」今曰「性善」，然則彼皆非與？』孟子曰：『乃若其情，則可以爲善矣，乃所謂善也。若夫爲不善，非才之罪也。惻隱之心，人皆有之；羞惡之心，人皆有之；恭敬之心，人皆有之；是非之心，人皆有之。惻隱之心，仁也；羞惡之心，義也；恭敬之心，禮也；是非之心，智也。仁、義、禮、智，非由外鑠我也，我固有之也，弗思耳矣。故曰：「求則得之，舍則失之。」或相倍蓰而無算者，不能盡其才者也。《詩》曰：「天生蒸民，有物有則。民之秉夷，好是懿德。」孔子曰：「爲此詩者，其知道乎！故有物必有則，民之秉夷也，故好是懿德。」』

孟子曰：『富歲子弟多賴，凶歲子弟多暴。非天之降才爾殊也，其所以陷溺其心者然也。今夫麰麥，播種而耰之，其地同，樹之時又同，浡然而生，至于日至之時，皆熟矣。雖有不同，則地有肥磽，雨露之養、人事之不齊也。故凡同類者，舉相似也，何獨至于人而疑之？聖人與我同類者。故龍子曰：「不知足而爲屨，我知其不爲蕢也。」屨之相似，天下之足同也。口之于味，有同耆也。易牙，先得我口之所耆者也。如使口之于味也，其性與人殊，若犬馬之與我不同類也，則天下何耆皆從易牙之于味也？至于味，天下期于易牙，是天下之口相似也。惟耳亦然。至于聲，天下期于師曠，是天下之耳相似也。惟目亦然。至于子都，天下莫不知其姣也。不知子都之姣者，無目者也。故曰：口之于味也，有同耆焉；耳之于聲也，有同聽焉；目之于色也，有同美焉。至于心，獨無所同然乎？心之所同然者何也？謂理也，義也。聖人先得我心之所同然耳。故理、義之悦我心，猶芻豢之悦我口。』

孟子曰：『牛山之木嘗美矣。以其郊于大國也，斧斤伐之，可以爲美乎？是其日夜之所息，雨露之所潤，非無萌蘖之生焉，牛羊又從而牧之，是以若彼濯濯也。人見其濯濯也，以爲未嘗有材焉，此豈山之性也哉？雖存乎人者，豈無仁義之心哉？其所以放其良

心者，亦猶斧斤之于木也，旦旦而伐之，可以爲美乎？其日夜之所息，平旦之氣，其好惡與人相近也者幾希，則其旦晝之所爲，有梏亡之矣。梏之反覆，則其夜氣不足以存；夜氣不足以存，則其違禽獸不遠矣。人見其禽獸也，而以爲未嘗有才焉者，是豈人之情也哉？故苟得其養，無物不長；苟失其養，無物不消。孔子曰：「操則存，舍則亡；出入無時，莫知其鄉。」惟心之謂與？』

孟子曰：『無或乎王之不智也。雖有天下易生之物也，一日暴之，十日寒之，未有能生者也。吾見亦罕矣，吾退而寒之者至矣，吾如有萌焉何哉？今夫弈之爲數，小數也；不專心致志，則不得也。弈秋，通國之善弈者也。使弈秋誨二人弈，其一人專心致志，惟弈秋之爲聽。一人雖聽之，一心以爲有鴻鵠將至，思援弓繳而射之，雖與之俱學，弗若之矣。爲是其智弗若與？曰：非然也。』

孟子曰：『魚，我所欲也，熊掌亦我所欲也；二者不可得兼，舍魚而取熊掌者也。生亦我所欲也，義亦我所欲也；二者不可得兼，舍生而取義者也。生亦我所欲，所欲有甚于生者，故不爲苟得也；死亦我所惡，所惡有甚于死者，故患有所不辟也。如使人之所欲莫甚于生，則凡可以得生者，何不用也？使人之所惡莫甚于死者，則凡可以辟患者，何不爲也？由是則生而有不用也，由是則可以辟患而有不爲也，是故所欲有甚于生者，所惡有甚于死者。非獨賢者有是心也，人皆有之，賢者能勿喪耳。一簞食，一豆羹，得之則生，弗得則死，嘑爾而與之，行道之人弗受；蹴爾而與之，乞人不屑也。萬鍾則不辯禮義而受之，萬鍾于我何加焉？爲宮室之美、妻妾之奉、所識窮乏者得我與？鄉爲身死而不受，今爲宮室之美爲之；鄉爲身死而不受，今爲妻妾之奉爲之；鄉爲身死而不受，今爲所識窮乏者得我而爲之，是亦不可以已乎？此之謂失其本心。』

孟子曰：『仁，人心也；義，人路也。舍其路而弗由，放其心而不知求，哀哉！人有鷄犬放，則知求之；有放心而不知求。學問之道無他，求其放心而已矣。』

孟子曰：『今有無名之指，屈而不信，非疾痛害事也，如有能信之者，則不遠秦、楚之路，爲指之不若人也。指不若人，則知惡之；心不若人，則不知惡，此之謂不知類

也。」

孟子曰：「拱把之桐梓，人苟欲生之，皆知所以養之者。至于身，而不知所以養之者，豈愛身不若桐梓哉？弗思甚也。」

孟子曰：「人之于身也，兼所愛。兼所愛，則兼所養也。無尺寸之膚不愛焉，則無尺寸之膚不養也。所以考其善不善者，豈有他哉？于己取之而已矣。體有貴賤，有小大。無以小害大，無以賤害貴。養其小者爲小人，養其大者爲大人。今有場師，舍其梧檟，養其樲棘，則爲賤場師焉。養其一指而失其肩背，而不知也，則爲狼疾人也。飲食之人，則人賤之矣，爲其養小以失大也。飲食之人無有失也，則口腹豈適爲尺寸之膚哉？」

公都子問曰：「鈞是人也，或爲大人，或爲小人，何也？」孟子曰：「從其大體爲大人，從其小體爲小人。」曰：「鈞是人也，或從其大體，或從其小體，何也？」曰：「耳目之官不思，而蔽于物。物交物，則引之而已矣。心之官則思，思則得之，不思則不得也。此天之所與我者。先立乎其大者，則其小者不能奪也。此爲大人而已矣。」

孟子曰：「有天爵者，有人爵者。仁義忠信，樂善不倦，此天爵也；公卿大夫，此人爵也。古之人修其天爵，而人爵從之。今之人修其天爵，以要人爵；既得人爵而弃其天爵，則惑之甚者也，終亦必亡而已矣。」

孟子曰：「欲貴者，人之同心也。人人有貴于己者，弗思耳矣。人之所貴者，非良貴也。趙孟之所貴，趙孟能賤之。《詩》云：「既醉以酒，既飽以德。」言飽乎仁義也，所以不願人之膏粱之味也。今聞廣譽施于身，所以不願人之文綉也。」

孟子曰：「仁之勝不仁也，猶水勝火。今之爲仁者，猶以一杯水救一車薪之火也；不熄，則謂之水不勝火，此又與于不仁之甚者也，亦終必亡而已矣。」

孟子曰：「五穀者，種之美者也。苟爲不熟，不如荑稗。夫仁亦在乎熟之而已矣。」

孟子曰：「羿之教人射，必志于彀；學者亦必志于彀。大匠誨人，必以規矩，學者亦必以規矩。」

任人有問屋廬子曰：『禮與食孰重？』曰：『禮重。』『色與禮孰重？』曰：『禮重。』曰：『以禮食，則飢而死；不以禮食，則得食，必以禮乎？親迎，則不得妻；不親迎，則得妻，必親迎乎？』屋廬子不能對。明日之鄒，以告孟子。孟子曰：『于答是也何有？不揣其本而齊其末，方寸之木可使高于岑樓。金重于羽者，豈謂一鈎金與一輿羽之謂哉？取食之重者與禮之輕者而比之，奚翅食重？取色之重者與禮之輕者而比之，奚翅色重？往應之曰：「紾兄之臂而奪之食，則得食；不紾，則不得食，則將紾之乎？逾東家墻而摟其處子，則得妻；不摟，則不得妻，則將摟之乎？」』

曹交問曰：『人皆可以爲堯舜，有諸？』孟子曰：『然。』『交聞文王十尺，湯九尺，今交九尺四寸以長，食粟而已，如何則可？』曰：『奚有于是？亦爲之而已矣。有人于此，力不能勝一匹雛，則爲無力人矣。今曰舉百鈞，則爲有力人矣。然則舉烏獲之任，是亦爲烏獲而已矣。夫人豈以不勝爲患哉？弗爲耳。徐行後長者謂之弟，疾行先長者謂之不弟。夫徐行者，豈人所不能哉？所不爲也。堯舜之道，孝弟而已矣。子服堯之服，誦堯之言，行堯之行，是堯而已矣。子服桀之服，誦桀之言，行桀之行，是桀而已矣。』曰：『交得見于鄒君，可以假館，願留而受業于門。』曰：『夫道若大路然，豈難知哉？人病不求耳。子歸而求之，有餘師。』

公孫丑問曰：『高子曰：「《小弁》，小人之詩也。」』孟子曰：『何以言之？』曰：『怨。』曰：『固哉，高叟之爲詩也！有人于此，越人關弓而射之，則己談笑而道之；無他，疏之也。其兄關弓而射之，則己垂涕泣而道之；無他，戚之也。《小弁》之怨，親親也。親親，仁也。固矣夫，高叟之爲詩也！』曰：『《凱風》何以不怨？』曰：『《凱風》，親之過小者也；《小弁》，親之過大者也。親之過大而不怨，是愈疏也；親之過小而怨，是不可磯也。愈疏，不孝也；不可磯，亦不孝也。孔子曰：「舜其至孝矣，五十而慕。」』

宋牼將之楚，孟子遇于石丘，曰：『先生將何之？』曰：『吾聞秦、楚構兵，我將見楚王説而罷之。楚王不悦，我將見秦王説而罷之。二王我將有所遇焉。』曰：『軻也請無問其詳，願聞其指。説之將何如？』曰：『我將言其不利也。』曰：『先生之志則大矣，先生之號則不可。先生以利説秦楚之王，秦楚之王悦于利，以罷三軍之師，是三軍之士樂罷而悦于利也。爲人臣者懷利以事其君，爲人子者懷利以事其父，爲人弟者懷利以事其兄，是君臣、父子、兄弟終去仁義，懷利以相接，然而不亡者，未之有也。先生以仁義説秦、楚之王，秦、楚之王悦于仁義，而罷三軍之師，是三軍之士樂罷而悦于仁義也。爲人臣者懷仁義以事其君，爲人子者懷仁義以事其父，爲人弟者懷仁義以事其兄，是君臣、父子、兄弟去利，懷仁義以相接也，然而不王者，未之有也。何必曰利？』

孟子居鄒，季任爲任處守，以幣交，受之而不報。處于平陸，儲子爲相，以幣交，受之而不報。他日，由鄒之任，見季子；由平陸之齊，不見儲子。屋廬子喜曰：『連得間矣。』問曰：『夫子之任見季子，之齊不見儲子，爲其爲相與？』曰：『非也。《書》曰：「享多儀，儀不及物曰不享，惟不役志于享。」爲其不成享也。』屋廬子悦。或問之，屋廬子曰：『季子不得之鄒，儲子得之平陸。』

淳于髡曰：『先名實者，爲人也；後名實者，自爲也。夫子在三卿之中，名實未加于上下而去之，仁者固如此乎？』孟子曰：『居下位，不以賢事不肖者，伯夷也。五就湯，五就桀者，伊尹也。不惡污君，不辭小官者，柳下惠也。三子者不同道，其趨一也。一者何也？曰：仁也。君子亦仁而已矣，何必同？』曰：『魯繆公之時，公儀子爲政，子柳、子思爲臣，魯之削也滋甚。若是乎賢者之無益于國也！』曰：『虞不用百里奚而亡，秦穆公用之而霸。不用賢則亡，削何可得與？』曰：『昔者王豹處于淇，而河西善謳；綿駒處于高唐，而齊右善歌。華周、杞梁之妻善哭其夫，而變國俗。有諸内，必形諸外。爲其事而無其功者，髡未嘗睹之也。是故無賢者也，有則髡必識之。』曰：『孔子爲魯司寇，不用，從而祭，燔肉不至，不税冕而行。不知者以爲爲肉也，其知者以爲爲無禮也。乃孔子則欲以微罪行，不欲爲苟去。君子之所爲，衆人固不識也。』

孟子曰：『五霸者，三王之罪人也。今之諸侯，五霸之罪人也。今之大夫，今之諸侯之罪人也。天子適諸侯曰巡狩，諸侯朝于天子曰述職。春省耕而補不足，秋省斂而助不給。入其疆，土地辟，田野治，養老尊賢，俊杰在位，則有慶，慶以地。入其疆，土地荒蕪，遺老失賢，掊克在位，則有讓。一不朝則貶其爵，再不朝則削其地，三不朝則六師移之。是故天子討而不伐，諸侯伐而不討。五霸者，摟諸侯以伐諸侯者也。故曰：五霸者，三王之罪人也。五霸，桓公爲盛。葵丘之會諸侯，束牲載書而不歃血。初命曰：「誅不孝，無易樹子，無以妾爲妻。」再命曰：「尊賢育才，以彰有德。」三命曰：「敬老慈幼，無忘賓旅。」四命曰：「士無世官，官事無攝，取士必得，無專殺大夫。」五命曰：「無曲防，無遏糴，無有封而不告。」曰：「凡我同盟之人，既盟之後，言歸于好。」今之諸侯皆犯此五禁，故曰：今之諸侯，五霸之罪人也。長君之惡其罪小，逢君之惡其罪大。今之大夫皆逢君之惡，故曰：今之大夫，今之諸侯之罪人也。』

魯欲使慎子爲將軍。孟子曰：『不教民而用之，謂之殃民。殃民者，不容于堯舜之世。一戰勝齊，遂有南陽，然且不可。』慎子勃然不悅，曰：『此則滑釐所不識也。』曰：『吾明告子：天子之地方千里；不千里，不足以待諸侯。諸侯之地方百里；不百里，不足以守宗廟之典籍。周公之封于魯，爲方百里也；地非不足，而儉于百里。太公之封于齊也，亦爲方百里也；地非不足也，而儉于百里。今魯方百里者五，子以爲有王者作，則魯在所損乎，在所益乎？徒取諸彼以與此，然且仁者不爲，況于殺人以求之乎？君子之事君也，務引其君以當道，志于仁而已。』

孟子曰：『今之事君者皆曰：「我能爲君辟土地，充府庫。」今之所謂良臣，古之所謂民賊也。君不鄉道，不志于仁，而求富之，是富桀也。「我能爲君約與國，戰必克。」今之所謂良臣，古之所謂民賊也。君不鄉道，不志于仁，而求爲之强戰，是輔桀也。由今之道，無變今之俗，雖與之天下，不能一朝居也。』

白圭曰：『吾欲二十而取一，何如？』孟子曰：『子之道，貉道也。萬室之國，一人陶，則可乎？』曰：『不可。器不足用也。』曰：『夫貉，五穀不生，惟黍生之。無城郭、

宮室、宗廟、祭祀之禮，無諸侯幣帛饔飧，無百官有司，故二十取一而足也。今居中國，去人倫，無君子，如之何其可也？陶以寡，且不可以爲國，况無君子乎？欲輕之于堯舜之道者，大貉小貉也；欲重之于堯、舜之道者，大桀小桀也。」

白圭曰：「丹之治水也，愈于禹。」孟子曰：「子過矣。禹之治水，水之道也，是故禹以四海爲壑。今吾子以鄰國爲壑。水逆行，謂之洚水。洚水者，洪水也。仁人之所惡也。吾子過矣。」

孟子曰：「君子不亮，惡乎執？」

魯欲使樂正子爲政。孟子曰：「吾聞之，喜而不寐。」公孫丑曰：「樂正子强乎？」曰：「否。」「有知慮乎？」曰：「否。」「多聞識乎？」曰：「否。」「然則奚爲喜而不寐？」曰：「其爲人也好善。」「好善足乎？」曰：「好善優于天下，而况魯國乎？夫苟好善，則四海之内皆將輕千里而來告之以善。夫苟不好善，則人將曰：「訑訑，予既已知之矣。」訑訑之聲音顔色距人于千里之外。士止于千里之外，則讒諂面諛之人至矣。與讒諂面諛之人居，國欲治，可得乎？」

陳子曰：「古之君子何如則仕？」孟子曰：「所就三，所去三。迎之致敬以有禮，言將行其言也，則就之；禮貌未衰，言弗行之，則去之。其次，雖未行其言也，迎之致敬以有禮，則就之；禮貌衰，則去之。其下，朝不食，夕不食，飢餓不能出門户，君聞之，曰：「吾大者不能行其道，又不能從其言也。使飢餓于我土地，吾耻之。」周之，亦可受也，免死而已矣。」

孟子曰：「舜發于畎畝之中，傅説舉于版築之間，膠鬲舉于魚鹽之中，管夷吾舉于士，孫叔敖舉于海，百里奚舉于市。故天將降大任于是人也，必先苦其心志，勞其筋骨，餓其體膚，空乏其身，行拂亂其所爲，所以動心忍性，曾益其所不能。人恒過，然後能改。困于心，衡于慮，而後作。徵于色，發于聲，而後喻。入則無法家拂士，出則無敵國外患者，國恒亡。然後知生于憂患而死于安樂也。」

孟子曰：「教亦多術矣。予不屑之教誨也者，是亦教誨之而已矣。」

卷十三　盡心章句上

孟子曰：『盡其心者，知其性也。知其性，則知天矣。存其心，養其性，所以事天也。殀壽不貳，修身以俟之，所以立命也。』

孟子曰：『莫非命也，順受其正。是故知命者不立乎岩墻之下。盡其道而死者，正命也；桎梏死者，非正命也。』

孟子曰：『求則得之，舍則失之，是求有益于得也，求在我者也。求之有道，得之有命，是求無益于得也，求在外者也。』

孟子曰：『萬物皆備于我矣。反身而誠，樂莫大焉。强恕而行，求仁莫近焉。』

孟子曰：『行之而不著焉，習矣而不察焉，終身由之而不知其道者，衆也。』

孟子曰：『人不可以無恥。無恥之恥，無恥矣。』

孟子曰：『恥之于人大矣。爲機變之巧者，無所用恥焉。不恥不若人，何若人有？』

孟子曰：『古之賢王好善而忘勢。古之賢士何獨不然？樂其道而忘人之勢，故王公不致敬盡禮，則不得亟見之。見且由不得亟，而况得而臣之乎？』

孟子謂宋句踐曰：『子好遊乎？吾語子遊。人知之，亦囂囂；人不知，亦囂囂。』曰：『何如斯可以囂囂矣？』曰：『尊德樂義，則可以囂囂矣。故士窮不失義，達不離道。窮不失義，故士得己焉；達不離道，故民不失望焉。古之人，得志，澤加于民；不得志，修身見于世。窮則獨善其身，達則兼善天下。』

孟子曰：『待文王而後興者，凡民也。若夫豪杰之士，雖無文王猶興。』

孟子曰：『附之以韓魏之家，如其自視欿然，則過人遠矣。』

孟子曰：『以佚道使民，雖勞不怨。以生道殺民，雖死不怨殺者。』

孟子曰：『霸者之民，歡虞如也；王者之民，皞皞如也。殺之而不怨，利之而不庸，民日遷善而不知爲之者。夫君子所過者化，所存者神，上下與天地同流，豈曰小補之哉？』

孟子曰：「仁言不如仁聲之入人深也，善政不如善教之得民也。善政民畏之，善教民愛之。善政得民財，善教得民心。」

孟子曰：「人之所不學而能者，其良能也；所不慮而知者，其良知也。孩提之童無不知愛其親者，及其長也，無不知敬其兄也。親親，仁也；敬長，義也；無他，達之天下也。」

孟子曰：「舜之居深山之中，與木石居，與鹿豕遊，其所以异于深山之野人者幾希。及其聞一善言，見一善行，若决江河，沛然莫之能禦也。」

孟子曰：「無爲其所不爲，無欲其所不欲，如此而已矣。」

孟子曰：「人之有德慧術知者，恒存乎疢疾。獨孤臣孽子，其操心也危，其慮患也深，故達。」

孟子曰：「有事君人者，事是君則爲容悅者也；有安社稷臣者，以安社稷爲悅者也；有天民者，達可行于天下而後行之者也；有大人者，正己而物正者也。」

孟子曰：「君子有三樂，而王天下不與存焉。父母俱存，兄弟無故，一樂也；仰不愧于天，俯不怍于人，二樂也；得天下英才而教育之，三樂也。君子有三樂，而王天下不與存焉。」

孟子曰：「廣土衆民，君子欲之，所樂不存焉。中天下而立，定四海之民，君子樂之，所性不存焉。君子所性，雖大行不加焉，雖窮居不損焉，分定故也。君子所性，仁、義、禮、智根于心。其生色也睟然，見于面，盎于背，施于四體，四體不言而喻。」

孟子曰：「伯夷辟紂，居北海之濱，聞文王作，興曰：『盍歸乎來？吾聞西伯善養老者。』太公辟紂，居東海之濱，聞文王作，興曰：『盍歸乎來？吾聞西伯善養老者。』天下有善養老，則仁人以爲己歸矣。五畝之宅，樹墻下以桑，匹婦蠶之，則老者足以衣帛矣。五母鷄，二母彘，無失其時，老者足以無失肉矣。百畝之田，匹夫耕之，八口之家足以無飢矣。所謂西伯善養老者，制其田里，教之樹畜，導其妻子使養其老。五十非帛不暖，七十非肉不飽。不暖不飽，謂之凍餒。文王之民無凍餒之老者，此之謂也。」

孟子曰：『易其田疇，薄其稅斂，民可使富也。食之以時，用之以禮，財不可勝用也。民非水火不生活。昏暮叩人之門戶，求水火，無弗與者，至足矣。聖人治天下，使有菽粟如水火。菽粟如水火，而民焉有不仁者乎？』

孟子曰：『孔子登東山而小魯，登太山而小天下，故觀于海者難爲水，遊于聖人之門者難爲言。觀水有術，必觀其瀾。日月有明，容光必照焉。流水之爲物也，不盈科不行；君子之志于道也，不成章不達。』

孟子曰：『鷄鳴而起，孳孳爲善者，舜之徒也；鷄鳴而起，孳孳爲利者，蹠之徒也。欲知舜與蹠之分，無他，利與善之間也。』

孟子曰：『楊子取爲我，拔一毛而利天下，不爲也。墨子兼愛，摩頂放踵利天下，爲之。子莫執中，執中爲近之。執中無權，猶執一也。所惡執一者，爲其賊道也，舉一而廢百也。』

孟子曰：『飢者甘食，渴者甘飲，是未得飲食之正也，飢渴害之也。豈惟口腹有飢渴之害？人心亦皆有害。人能無以飢渴之害爲心害，則不及人不爲憂矣。』

孟子曰：『柳下惠不以三公易其介。』

孟子曰：『有爲者辟若掘井，掘井九軔而不及泉，猶爲弃井也。』

孟子曰：『堯舜，性之也；湯武，身之也；五霸，假之也。久假而不歸，惡知其非有也。』

公孫丑曰：『伊尹曰：「予不狎于不順，放太甲于桐，民大悦。太甲賢，又反之，民大悦。」賢者之爲人臣也，其君不賢，則固可放與？』孟子曰：『有伊尹之志，則可；無伊尹之志，則篡也。』

公孫丑曰：『《詩》曰：「不素餐兮。」君子之不耕而食，何也？』孟子曰：『君子居是國也，其君用之，則安富尊榮；其子弟從之，則孝弟忠信。「不素餐兮」，孰大于是？』

王子墊問曰：『士何事？』孟子曰：『尚志。』曰：『何謂尚志？』曰：『仁義而已

矣。殺一無罪，非仁也。非其有而取之，非義也。居惡在？仁是也。路惡在？義是也。居仁由義，大人之事備矣。』

孟子曰：『仲子，不義與之齊國而弗受，人皆信之，是舍簞食豆羹之義也。人莫大焉亡親戚君臣上下。以其小者信其大者，奚可哉？』

桃應問曰：『舜爲天子，皋陶爲士，瞽瞍殺人，則如之何？』孟子曰：『執之而已矣。』『然則舜不禁與？』曰：『夫舜惡得而禁之？夫有所受之也。』『然則舜如之何？』曰：『舜視弃天下猶弃敝蹝也。竊負而逃，遵海濱而處，終身訢然，樂而忘天下。』

孟子自范之齊，望見齊王之子，喟然嘆曰：『居移氣，養移體，大哉居乎！夫非盡人之子與？』孟子曰：『王子宮室、車馬、衣服多與人同，而王子若彼者，其居使之然也。況居天下之廣居者乎？魯君之宋，呼于垤澤之門。守者曰：「此非吾君也，何其聲之似我君也？」此無他，居相似也。』

孟子曰：『食而弗愛，豕交之也；愛而不敬，獸畜之也。恭敬者，幣之未將者也。恭

敬而無實，君子不可虛拘。』

孟子曰：『形色，天性也。惟聖人然後可以踐形。』

齊宣王欲短喪。公孫丑曰：『爲期之喪，猶愈于已乎？』孟子曰：『是猶或紾其兄之臂，子謂之姑徐徐云爾，亦教之孝弟而已矣。』王子有其母死者，其傅爲之請數月之喪。公孫丑曰：『若此者，何如也？』曰：『是欲終之而不可得也。雖加一日愈于已，謂夫莫之禁而弗爲者也。』

孟子曰：『君子之所以教者五：有如時雨化之者，有成德者，有達財者，有答問者，有私淑艾者。此五者，君子之所以教也。』

公孫丑曰：『道則高矣，美矣，宜若登天然，似不可及也。何不使彼爲可幾及而日孳孳也？』孟子曰：『大匠不爲拙工改廢繩墨，羿不爲拙射變其彀率。君子引而不發，躍如也。中道而立，能者從之。』

孟子曰：『天下有道，以道殉身；天下無道，以身殉道。未聞以道殉乎人者也。』

公都子曰：『滕更之在門也，若在所禮，而不答，何也？』孟子曰：『挾貴而問，挾賢而問，挾長而問，挾有勛勞而問，挾故而問，皆所不答也。滕更有二焉。』

孟子曰：『于不可已而已者，無所不已；于所厚者薄，無所不薄也。其進鋭者，其退速。』

孟子曰：『君子之于物也，愛之而弗仁；于民也，仁之而弗親。親親而仁民，仁民而愛物。』

孟子曰：『知者無不知也，當務之爲急；仁者無不愛也，急親賢之爲務。堯舜之知而不遍物，急先務也；堯舜之仁不遍愛人，急親賢也。不能三年之喪，而緦、小功之察；放飯流歠，而問無齒决，是之謂不知務。』

卷十四　盡心章句下

孟子曰：『不仁哉，梁惠王也！仁者以其所愛及其所不愛，不仁者以其所不愛及其所愛。』公孫丑問曰：『何謂也？』『梁惠王以土地之故，糜爛其民而戰之，大敗，將復之，恐不能勝，故驅其所愛子弟以殉之，是之謂以其所不愛及其所愛也。』

孟子曰：『《春秋》無義戰。彼善于此，則有之矣。征者，上伐下也，敵國不相征也。』

孟子曰：『盡信《書》，則不如無《書》。吾于《武成》，取二三策而已矣。仁人無敵于天下，以至仁伐至不仁，而何其血之流杵也？』

孟子曰：『有人曰：「我善爲陳，我善爲戰。」大罪也。國君好仁，天下無敵焉。南面而征，北狄怨；東面而征，西夷怨，曰：「奚爲後我？」武王之伐殷也，革車三百兩，虎賁三千人。王曰：「無畏！寧爾也，非敵百姓也。」若崩厥角稽首。征之爲言正也，各欲正己也，焉用戰？』

孟子曰：『梓匠輪輿能與人規矩，不能使人巧。』

孟子曰：『舜之飯糗茹草也，若將終身焉。及其爲天子也，被袗衣，鼓琴，二女果，若固有之。』

孟子曰：『吾今而後知殺人親之重也。殺人之父，人亦殺其父；殺人之兄，人亦殺其兄。然則非自殺之也，一間耳。』

孟子曰：『古之爲關也，將以禦暴；今之爲關也，將以爲暴。』

孟子曰：『身不行道，不行于妻子；使人不以道，不能行于妻子。』

孟子曰：『周于利者凶年不能殺，周于德者邪世不能亂。』

孟子曰：『好名之人能讓千乘之國，苟非其人，簞食豆羹見于色。』

孟子曰：『不信仁賢，則國空虛；無禮義，則上下亂；無政事，則財用不足。』

孟子曰：『不仁而得國者有之矣，不仁而得天下者未之有也。』

孟子曰：『民爲貴，社稷次之，君爲輕。是故得乎丘民而爲天子，得乎天子爲諸侯，得

乎諸侯爲大夫。諸侯危社稷，則變置。犧牲既成，粢盛既潔，祭祀以時，然而旱乾水溢，則變置社稷。』

孟子曰：『聖人，百世之師也，伯夷、柳下惠是也。故聞伯夷之風者，頑夫廉，懦夫有立志；聞柳下惠之風者，薄夫敦，鄙夫寬。奮乎百世之上，百世之下，聞者莫不興起也。非聖人而能若是乎？而況于親炙之者乎？』

孟子曰：『仁也者，人也。合而言之，道也。』

孟子曰：『孔子之去魯，曰：「遲遲吾行也，去父母國之道也。」去齊，接淅而行，去他國之道也。』

孟子曰：『君子之厄于陳、蔡之間，無上下之交也。』

貉稽曰：『稽大不理于口。』孟子曰：『無傷也。士憎兹多口。《詩》云：「憂心悄悄，慍于群小。」孔子也。「肆不殄厥慍，亦不殞厥問。」文王也。』

孟子曰：『賢者以其昭昭使人昭昭，今以其昏昏使人昭昭。』

孟子謂高子曰：『山徑之蹊間，介然用之而成路。爲間不用，則茅塞之矣。今茅塞子之心矣。』

高子曰：『禹之聲尚文王之聲。』孟子曰：『何以言之？』曰：『以追蠡。』曰：『是奚足哉？城門之軌，兩馬之力與？』

齊饑。陳臻曰：『國人皆以夫子將復爲發棠，殆不可復。』孟子曰：『是爲馮婦也。晉人有馮婦者，善搏虎，卒爲善士。則之野，有衆逐虎。虎負嵎，莫之敢攖。望見馮婦，趨而迎之。馮婦攘臂下車。衆皆悦之，其爲士者笑之。』

孟子曰：『口之于味也，目之于色也，耳之于聲也，鼻之于臭也，四肢之于安佚也，性也，有命焉，君子不謂性也。仁之于父子也，義之于君臣也，禮之于賓主也，知之于賢者也，聖人之于天道也，命也，有性焉，君子不謂命也。』

浩生不害問曰：『樂正子何人也？』孟子曰：『善人也，信人也。』『何謂善？何謂信？』曰：『可欲之謂善，有諸己之謂信，充實之謂美，充實而有光輝之謂大，大而化之

之謂聖，聖而不可知之之謂神。樂正子，二之中，四之下也。』

孟子曰：『逃墨必歸于楊，逃楊必歸于儒。歸，斯受之而已矣。今之與楊、墨辯者，如追放豚，既入其苙，又從而招之。』

孟子曰：『有布縷之征，粟米之征，力役之征。君子用其一，緩其二。用其二而民有殍，用其三而父子離。』

孟子曰：『諸侯之寶三：土地、人民、政事。寶珠玉者，殃必及身。』

盆成括仕于齊。孟子曰：『死矣盆成括！』盆成括見殺，門人問曰：『夫子何以知其將見殺？』曰：『其爲人也小有才，未聞君子之大道也，則足以殺其軀而已矣。』

孟子之滕，館于上宮。有業屨于牖上，館人求之弗得。或問之曰：『若是乎從者之廋也？』曰：『子以是爲竊屨來與？』曰：『殆非也。夫子之設科也，往者不追，來者不拒。苟以是心至，斯受之而已矣。』

孟子曰：『人皆有所不忍，達之于其所忍，仁也；人皆有所不爲，達之于其所爲，義也。人能充無欲害人之心，而仁不可勝用也；人能充無穿逾之心，而義不可勝用也；人能充無受爾汝之實，無所往而不爲義也。士未可以言而言，是以言餂之也；可以言而不言，是以不言餂之也。是皆穿逾之類也。』

孟子曰：『言近而指遠者，善言也；守約而施博者，善道也。君子之言也，不下帶而道存焉。君子之守，修其身而天下平。人病舍其田而芸人之田，所求于人者重，而所以自任者輕。』

孟子曰：『堯舜，性者也。湯武，反之也。動容周旋中禮者，盛德之至也。哭死而哀，非爲生者也。經德不回，非以禄干也。言語必信，非以正行也。君子行法以俟命而已矣。』

孟子曰：『說大人則藐之，勿視其巍巍然。堂高數仞，榱題數尺，我得志弗爲也。食前方丈，侍妾數百人，我得志弗爲也。般樂飲酒，驅騁田獵，後車千乘，我得志弗爲也。在彼者皆我所不爲也，在我者皆古之制也，吾何畏彼哉？』

孟子曰：『養心莫善于寡欲。其爲人也寡欲，雖有不存焉者，寡矣；其爲人也多欲，

雖有存焉者，寡矣。」

曾皙嗜羊棗，而曾子不忍食羊棗。公孫丑問曰：『膾炙與羊棗孰美？』孟子曰：『膾炙哉！』公孫丑曰：『然則曾子何爲食膾炙而不食羊棗？』曰：『膾炙所同也，羊棗所獨也。諱名不諱姓，姓所同也，名所獨也。』

萬章問曰：『孔子在陳，曰：「盍歸乎來！吾黨之小子狂簡，進取不忘其初。」孔子在陳，何思魯之狂士？』孟子曰：『孔子「不得中道而與之，必也狂獧乎！狂者進取，獧者有所不爲也」。孔子豈不欲中道哉？不可必得，故思其次也。』『敢問何如斯可謂狂矣？』曰：『如琴張、曾皙、牧皮者，孔子之所謂狂矣。』『何以謂之狂也？』曰：『其志嘐嘐然，曰：「古之人，古之人！」夷考其行，而不掩焉者也。狂者又不可得，欲得不屑不潔之士而與之，是獧也，是又其次也。孔子曰：「過我門而不入我室，我不憾焉者，其惟鄉原乎！鄉原，德之賊也。」』曰：『何如斯可謂之鄉原矣？』曰：『何以是嘐嘐也？言不顧行，行不顧言，則曰「古之人，古之人。」行何爲踽踽涼涼？生斯世也，爲斯世也，

善斯可矣」。閹然媚于世也者，是鄉原也。』萬章曰：『一鄉皆稱原人焉，無所往而不爲原人，孔子以爲德之賊，何哉？』曰：『非之無舉也，刺之無刺也。同乎流俗，合乎污世。居之似忠信，行之似廉潔，衆皆悅之，自以爲是，而不可與入堯舜之道，故曰「德之賊」也。孔子曰：「惡似而非者：惡莠，恐其亂苗也；惡佞，恐其亂義也；惡利口，恐其亂信也；惡鄭聲，恐其亂樂也；惡紫，恐其亂朱也；惡鄉原，恐其亂德也。」君子反經而已矣。經正則庶民興，庶民興，斯無邪慝矣。』

孟子曰：『由堯、舜至于湯，五百有餘歲。若禹、臯陶，則見而知之；若湯，則聞而知之。由湯至于文王，五百有餘歲。若伊尹、萊朱，則見而知之；若文王，則聞而知之。由文王至于孔子，五百有餘歲。若太公望、散宜生，則見而知之；若孔子，則聞而知之。由孔子而來，至于今百有餘歲，去聖人之世若此其未遠也，近聖人之居若此其甚也，然而無有乎爾，則亦無有乎爾。』

文華叢書

《文華叢書》是廣陵書社歷時多年精心打造的一套綫裝小型開本國學經典。選目均爲中國傳統文化之經典著作，如《唐詩三百首》《宋詞三百首》《古文觀止》《四書章句》《六祖壇經》《山海經》《天工開物》《歷代家訓》《納蘭詞》《紅樓夢詩詞聯賦》等，均爲家喻户曉、百讀不厭的名作。裝幀採用中國傳統的宣紙、綫裝形式，古色古香，樸素典雅，富有民族特色和文化品位。精選底本，精心編校，字體秀麗，版式疏朗，價格適中。經典名著與古典裝幀珠聯璧合，相得益彰，贏得了越來越多讀者的喜愛。現附列書目，以便讀者諸君選購。

人間詞話（套色）（二册）
了凡四訓　勸忍百箴（二册）
三字經·百家姓·千字文·弟子規（外二種）（二册）
三曹詩選（二册）
小窗幽紀（二册）
山谷詞（套色、插圖）（二册）
山海經（插圖本）（三册）
千家詩（二册）
王安石詩文選（二册）
王維詩集（二册）
天工開物（插圖本）（四册）
元曲三百首（二册）
元曲三百首（插圖本）（二册）
太極圖説·通書（二册）
水雲樓詞（套色、插圖）（二册）
片玉詞（套色、注評、插圖）（二册）
六祖壇經（二册）
文心雕龍（二册）
文房四譜（二册）
孔子家語（二册）
世説新語（二册）
古文觀止（四册）
古詩源（三册）
史記菁華録（三册）
史略·子略（三册）
四書章句（大學、中庸、論語、孟子）（二册）
白雨齋詞話（三册）
白居易詩選（二册）
老子·莊子（三册）
西厢記（插圖本）（二册）
列子（二册）
伊洛淵源録（二册）
孝經·禮記（三册）
花間集（套色、插圖本）（二册）
杜牧詩選（二册）
李白詩選（簡注）（二册）
李商隱詩選（二册）
李清照集附朱淑真詞（二册）
近三百年名家詞選（三册）
近思録（二册）

辛弃疾詞（二册）
宋元戲曲史（二册）
宋詞三百首（二册）
宋詞三百首（套色、插圖本）（二册）
宋詩舉要（三册）
初唐四傑詩（二册）
長物志（二册）
林泉高致·書法雅言（一册）
東坡志林（二册）
東坡詞（套色、注評）（二册）
呻吟語（四册）
金剛經·百喻經（二册）
金奩集（二册）
周易·尚書（二册）
孟子（附孟子聖迹圖）（二册）
孟浩然詩集（二册）
草堂詩餘（二册）
茶經·續茶經（三册）
荀子（三册）
柳宗元詩文選（二册）
秋水軒尺牘（二册）
鬼谷子（二册）
姜白石詞（一册）
洛陽伽藍記（二册）
紅樓夢詩詞聯賦（二册）
秦觀詩詞選（二册）
珠玉詞·小山詞（二册）
格言聯璧（二册）
笑林廣記（二册）
唐詩三百首（二册）
唐詩三百首（插圖本）（二册）
浮生六記（二册）
酒經·酒譜（二册）
陶庵夢憶（二册）
陶淵明集（二册）
孫子兵法·孫臏兵法·三十六計（二册）
納蘭詞（套色、注評）（二册）
菜根譚·幽夢影·圍爐夜話（三册）
菜根譚·幽夢影（二册）
雪鴻軒尺牘（二册）

國學概論（二册）
張子野詞（二册）
張玉田詞（二册）
越絶書（二册）
搜神記（二册）
閑情偶寄（四册）
飲膳正要（二册）
曾國藩家書精選（二册）
畫禪室隨筆附骨董十三説（二册）
絶妙好詞箋（三册）
夢溪筆談（三册）
楚辭（二册）
園冶（二册）
傳習録（二册）
傳統蒙學叢書（二册）
詩品·詞品（二册）
詩經（插圖本）（二册）
裝潢志·賞延素心録（外九種）（二册）
經史問答（二册）
經典常談（二册）
管子（四册）
隨園食單（二册）
蕙風詞話（三册）
歐陽修詞（二册）
遺山樂府選（二册）
墨子（三册）
樂章集（插圖本）（二册）
論語（附聖迹圖）（二册）
歷代家訓（簡注）（二册）
憶雲詞（二册）
戰國策（四册）
學詞百法（二册）
學詩百法（二册）
韓愈詩文選（二册）
藝概（二册）
顔氏家訓（二册）
*武林舊事（二册）
*東京夢華録·都城紀勝（二册）
*晏子春秋（二册）

（加*爲待出書目）

[illegible](二冊)
經史問答(二冊)
裝潢志・賞延素心錄(外九種)(二冊)
詩經(插圖本)(二冊)
詩品・詞品(二冊)
[illegible](二冊)
[illegible]錄(一冊)
[illegible](二冊)
[illegible](一冊)
[illegible](二冊)
絕妙好詞箋(三冊)
[illegible](二冊)
曾國藩家書精選(二冊)
[illegible](二冊)
閑情偶寄(四冊)
搜神記(二冊)
[illegible](二冊)
[illegible](二冊)
[illegible](二冊)
國學[illegible](二冊)

[illegible]
[illegible](二冊)
[illegible](二冊)
[illegible](二冊)
顏氏家訓(二冊)
[illegible](一冊)
[illegible]文選(二冊)
[illegible](二冊)
[illegible](二冊)
戰國策(四冊)
[illegible](二冊)
[illegible](二冊)
[illegible](二冊)
[illegible](二冊)
[illegible](一冊)
[illegible](二冊)
[illegible](二冊)
[illegible](二冊)
[illegible](四冊)

文華叢書書目

二

柳宗元詩文選(二冊)
荀子(二冊)
茶經・續茶經(三冊)
[illegible](二冊)
孟浩然詩集(二冊)
孟子(附孟子聖跡圖)(二冊)
周易・尚書(二冊)
[illegible](二冊)
金剛經・百喻經(二冊)
[illegible](四冊)
東坡詞(套色、注評)(二冊)
東坡志林(二冊)
林泉高致・書法雅言(一冊)
博物志(一冊)
[illegible](二冊)
[illegible](二冊)
宋詞三百首(套色、插圖本)(二冊)
[illegible](二冊)
[illegible](一冊)
宋元戲曲史(二冊)
[illegible](二冊)

[illegible](二冊)
[illegible](二冊)
[illegible](二冊)
[illegible](二冊)
[illegible](二冊)
孫子兵法・孫臏兵法・三十六計(二冊)
[illegible](二冊)
[illegible](插圖本)(二冊)
[illegible](二冊)
笑林廣記(二冊)
格言聯璧(二冊)
[illegible](二冊)
[illegible](二冊)
[illegible](二冊)
[illegible](二冊)
[illegible](一冊)
[illegible](二冊)
[illegible](二冊)

清賞叢書

《清賞叢書》是廣陵書社最新打造的一套綫裝小開本圖書。本叢書選目均爲古人所稱清玩之物、清雅之言，主要是有關古人精緻生活、書畫金石鑒賞等著作，如高濂《遵生八箋》、張岱《西湖夢尋》、曹昭《格古要論》等，讓喜好傳統文化的讀者，享受古典之美，欣賞風雅之樂。

本叢書裝幀仍採用中國傳統的宣紙、綫裝形式，與本社另一套經典名著叢書《文華叢書》相得益彰，古色古香，樸素典雅，富有民族特色和文化品位。本社精選底本，精心編校，版式疏朗，字體秀麗，價格適中。現附列書目，以便讀者選購。

山家清供附山家清事（二册）
印典（二册）
西湖夢尋（二册）
牡丹譜　芍藥譜（二册）
荔枝譜（二册）
香譜（二册）
洞天清禄集　格古要論（二册）
梅花喜神譜　梅花字字香（二册）
梅蘭竹菊譜（二册）
猫苑　猫乘（二册）
琴史（二册）
遵生八箋·四時調攝箋（四册）
遵生八箋·起居安樂箋（二册）
遵生八箋·飲饌服食箋（三册）
遵生八箋·燕閑清賞箋（三册）

*汝南圃史（三册）
*妝史（二册）
*果蔬譜（二册）
*海棠譜（二册）
*景德鎮陶録　飲流齋説瓷（二册）
（加*爲待出書目）

★爲保證購買順利，購買前可與本社發行部聯繫
電話：0514-85228088　郵箱：yzglss@163.com

新浪微博
廣陵書社

微信公衆號
glsscbs